磚銘書法大系

兩晉至宋元磚銘書法 三

上海書畫出版社 編
黎旭 王立翔 主編

兩晉（無紀年）
南朝

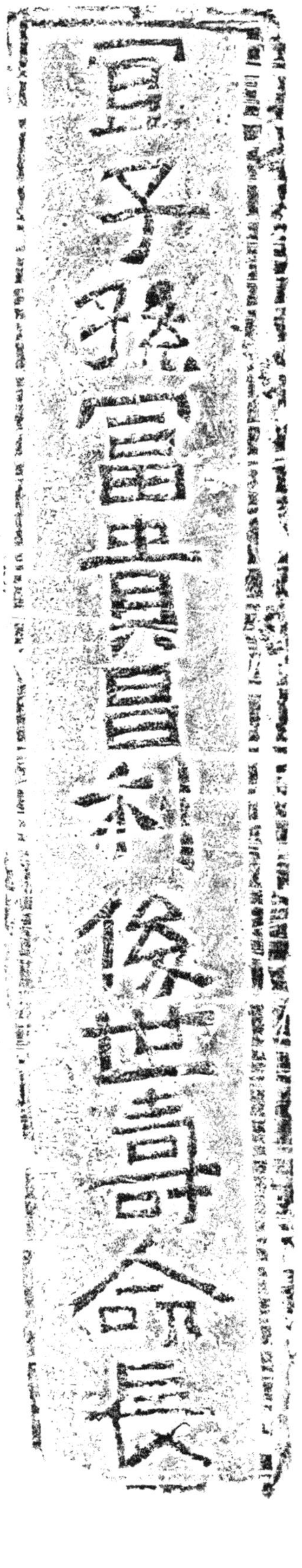

上海書畫出版社

前言

磚的古字爲『甓』『壁』『甎』『塼』，城磚可稱『墼』，井磚可稱『甃』等。古磚作爲古代文字的載體，其學術功能不遜於甲骨、青銅器、石刻、簡牘、法帖、書迹等傳統主流器物。由於銘文磚存世量大、覆蓋面廣、歷史跨度長，東漢以降幾乎每個歷史年代的銘文磚都有實物存世，而且磚銘内容資料豐富，書法風格面貌齊全，因此，古磚具有天然不可替代的學術特點。

清代中後期金石學振興之後，學者逐漸發現古磚銘對金石學研究具有重大價值，於是開展對古代磚銘的專門研究和著録。嚴福基《嚴氏古磚存》、吴廷康《慕陶軒古磚圖録》、陳璜《百甓齋古磚録》、陸心源《千甓亭古磚圖釋》、吕佺孫《百磚考》、吴隱《遯庵古磚存》、馮登府《浙江磚録》、宋經畬《磚文考略》等著作中收録的古磚銘，有着明顯的地域特色，多爲浙江地區出土的古代銘文磚銘。詳細記録古磚的出土資訊，對文字進行辨識，考證相關内容等，是這個時期著作的共同特點。但囿於當時印刷條件，對磚銘的形態，僅能依賴文字的描述，或雕鏤木版，縮摹仿真，難免與原貌有着相當大的差别。值得關注的是光緒十七年（一八九一）陸心源的《千甓亭古磚圖釋》，這是一部古磚銘著録中里程碑式的著作。從數量上來看，共輯録了一千三百二十餘種兩漢至元代不同的古磚銘拓本，遠超前人著作；從質量上來説，采用了當時較爲先進的石印印刷技術，比較真實地呈現了古磚銘的文字和圖案。此外，陸氏對每一種古磚拓本均標注尺寸、内容、出土地等資訊，并對其中相當一部分文字加以考釋。這一著録方式能直觀準確地反映磚銘的内容，逐漸爲此後古磚銘研究者所采用，影響深遠。民國時期古磚銘研究著作的主要特點是不再局限於一時一地，而是匯集不同時期、不同地域、不同種類的磚銘合集。如高翰生《上陶室磚瓦文捃》、鄒安《廣倉磚録》、王樹枏《漢魏六朝磚文》等。

書法研究是金石學者著録古磚銘的一個重要意圖。中國古代磚銘書法的姿態具有獨特的藝術韵味，從字體上來看，涵蓋了篆書、隸書、草書、行書、楷書等多種字體。時代的變遷與地區文化的差异，在古磚銘中同樣有着相當明顯的痕迹，古磚銘書法對於研究古代書體書風的嬗變有着重要作用。

兩晋南北朝磚銘書法，篆書、隸書、楷書、草書等書體都處在演變和發展階段，反映了彼時民間書寫群體作品的真實面貌，其『變』與『不穩定性』的特點，與成熟經典的書體相比，雖稍顯粗糙，但是所呈現出來的自然形態以及强烈的生命力和可塑性，正是定型後的書體所不能具備的，這些因素對科學地研究中國兩晋南朝書法史意義非凡。

隋唐時期的磚銘書法，基本圍繞着楷書而展開。隋代砖铭書法在點畫特徵的刻畫方面較爲草率，不衫不履，間架結構方面，則取當時流行的平正寬博之勢。唐代磚銘楷書書體的風格化更加豐富，且明顯存在對於當時名家書法的模仿。五代十國時期在磚銘書法方面，無復隋唐時期的規模與高度，多以隸書或者受到隸書影響的楷書爲主，在整體的製作水平、藝術高度方面，已然呈現頹勢，再難以與前代相頡頏。遼、金磚銘書法均为楷書，書法風格具有明顯的歐體、顏體的特徵。元代磚銘，整體仍以楷書爲主，但也有一定數量的隸書磚銘，而且書法水準比兩宋的隸書磚銘的水準更高、更純粹。兩宋時期磚銘書法與時代主流書風嚴重脱節，一方面源於隋唐以後書體演變的最終完成，由重書體而轉變爲重風格的表現；另一方面，宋代民間書法的進一步行業化，更多關注書法的實用功能，故而處於民間階層的兩宋磚銘，在接續隋唐五代以後逐漸走向凋敝。

『磚銘書法大系』計兩輯八册，此輯爲兩晋至宋元卷，共計四册，集中體現了這一時期磚銘書法的時代、地域風格特征，是我們研究書法史、進行書法創作不可或缺的珍貴資料。

目録

兩晋（無紀年）

王戎山濤磚……一
阮藉嵇康磚……二
向秀劉靈磚……三
阮咸榮啓期磚……四
太歲甲子姚立磚……五
殳西平遲斧磚……五
殳西平厚方磚……六
殳西平中馬磚……六
大寬磚……七
急斧磚片磚……七

南朝（有紀年）

永初二年謝琉墓誌磚之一……八
永初二年謝琉墓誌磚之二……九
永初二年謝琉墓誌磚之三……一〇
永初二年謝琉墓誌磚之四……一一
永初二年謝琉墓誌磚之五……一二
永初二年謝琉墓誌磚之六……一三
元嘉元年磚……一四
元嘉二年張臨沅磚……一四
元嘉二年宋乞墓誌磚……一五
元嘉三年建業磚……一六
元嘉五年劉晋陸磚……一七
元嘉七年磚……一八
元嘉七年潘輸之磚……一八
元嘉九年磚……一九
元嘉九年熊府君墓誌磚之一……一九
元嘉九年熊府君墓誌磚之二……二〇
元嘉九年熊府君墓誌磚之三……二〇
元嘉九年熊府君墓誌磚之四……二一
元嘉九年熊府君墓誌磚之五……二一
元嘉九年王佛女買地券磚……二二
元嘉十年磚……二三
元嘉十年磚……二三
元嘉十二年磚……二四
元嘉十三年磚……二四
元嘉十六年磚……二五
元嘉十六年吴賜磚……二六
元嘉十七年磚……二六
元嘉十七年□長文磚……二七
元嘉十八年磚……二七
元嘉十八年邵公磚……二八
元嘉十八年邵公磚……二八
元嘉十八年孫惠妻李氏墓記磚……二九
元嘉十九年潘翔磚……三〇
元嘉二十年磚……三一
元嘉二十年孫君磚……三二
元嘉二十年磚……三二
元嘉二十年磚……三三
元嘉二十四年磚……三三
元嘉二十五年吴氏磚……三四
宋元嘉二十六年磚……三四
大明年磚……三五
大明四年磚……三六
泰始三年縣官磚……三六
泰始三年劉清欣磚……三七
泰始五年磚……三七
泰始六年李苞墓記磚……三八
泰始七年梁士曹磚……三九
建元三年磚……四〇
永明三年磚……四一
永明五年丁氏磚……四二
永明五年王道興磚……四三
永明八年磚……四四
永明九年磚……四四
永明十年嚴晋平磚……四五
永明十一年張元明父磚……四六
建武二年孟法開磚……四六
天監二年磚……四七
天監四年磚……四七
天監九年磚……四八

天監十二年磚……四八
天監十六年磚……四九
天監十八年魏彥磚……五〇
普通元年張遂安磚……五〇
普通年磚……五一
中大通三年磚……五二
中大通三年黄氏磚……五三
中大通五年殷氏磚……五三
大同四年磚……五四
大同九年磚……五四
大同十年張主事磚……五五
大同十一年磚……五六
太清元年造像磚……五七
太建二年殷氏磚……五八
至德元年磚……五八
至德二年梁龕墓記磚……五九

南朝（無紀年）

去苦怒力相思磚……六〇
冢安人興千子萬孫磚……六一
冢安人興千子萬孫磚……六一
吉善萬世大留作者皆壽磚……六二
大吉昌樂未英左陽遂
宜富貴安磚……六二
宜子孫吉大羊樂未英磚……六三
吉且翔宜公卿之墊磚……六四
太歲在己亥萬歲磚……六五
宜侯王磚……六六
宜子孫磚……六六
右虎左龍富貴未英磚……六七
烏呼哀哉等字磚……六八
宜官喬遷磚……六八
千萬年宜子孫磚……六九
董寵作磚……七〇
晉故樂安令等字磚……七一
晉大中正郴令魏君之郭磚……七一
晉謝君墓磚……七二
十月辛巳朔廿日庚子住磚……七二
福德冢磚……七三
晉故先賢殘磚……七三
張氏萬磚……七四
張昭陵君之冢磚……七四
鐘離食官君磚……七五
楊磚……七五
處士任季元冢磚……七六
會稽上虞東鄉語□里司徒磚……七六
屈紹母磚……七七
温嶠墓誌磚……七八
劉頵妻徐氏墓記磚……七九
徐司馬墓記磚……八〇
謝氏墓記磚……八〇
盧奴民磚……八一
司馬炎墓記磚……八二
樂生柩銘磚……八二
二日暘磚……八三
大將軍磚……八四
孫榮墓記磚……八五
李續妻張氏墓記磚……八六
甄壽妻解夫人墓記磚……八七
乙丑歲陳侯立功磚……八八
玉敷磚……八八
韋家墓磚……八九
莫落公孫氏墓磚……八九

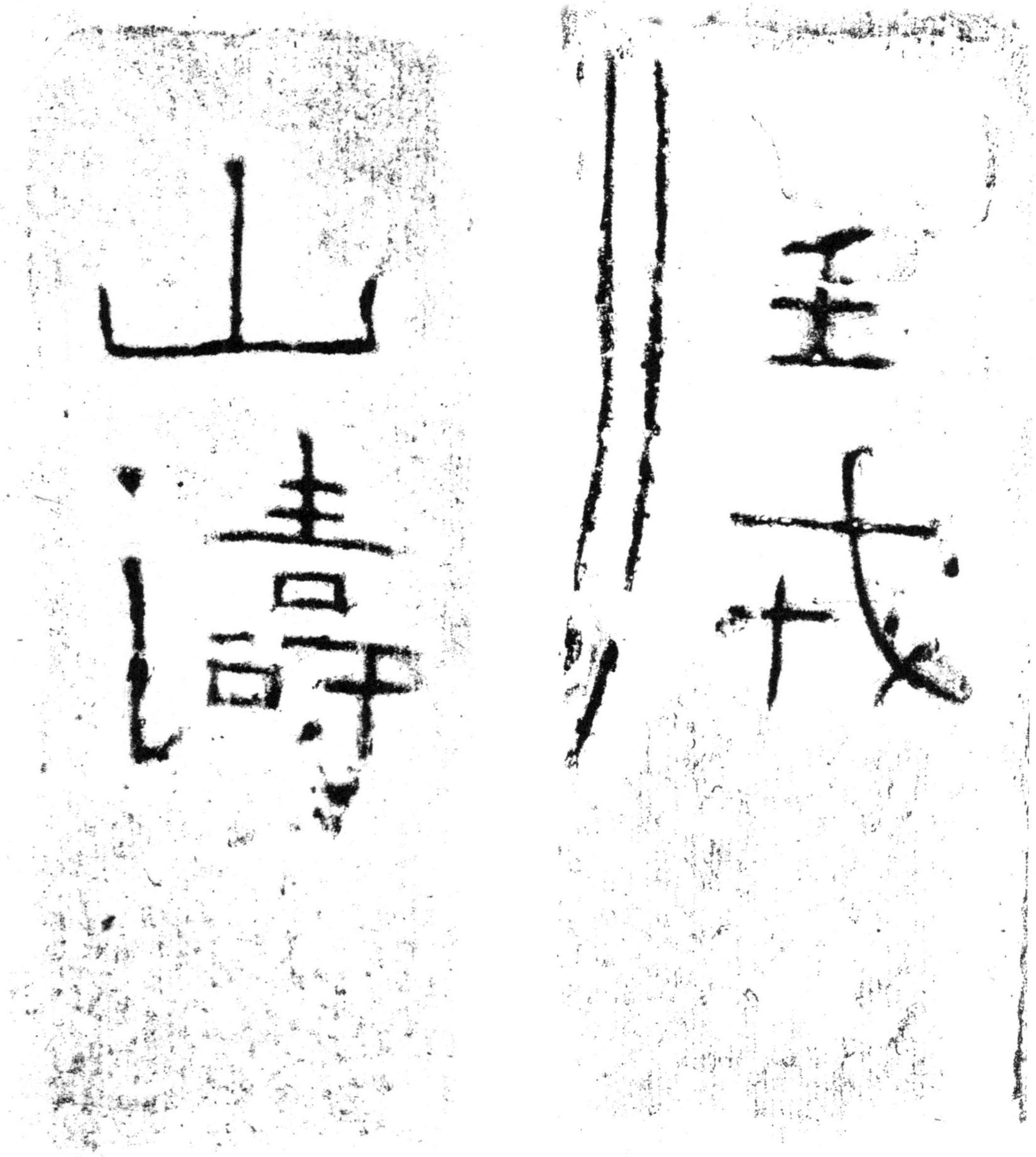

王戎山濤磚

釋文：王戎
山濤

阮藉嵇康磚

釋文：阮藉
嵇康

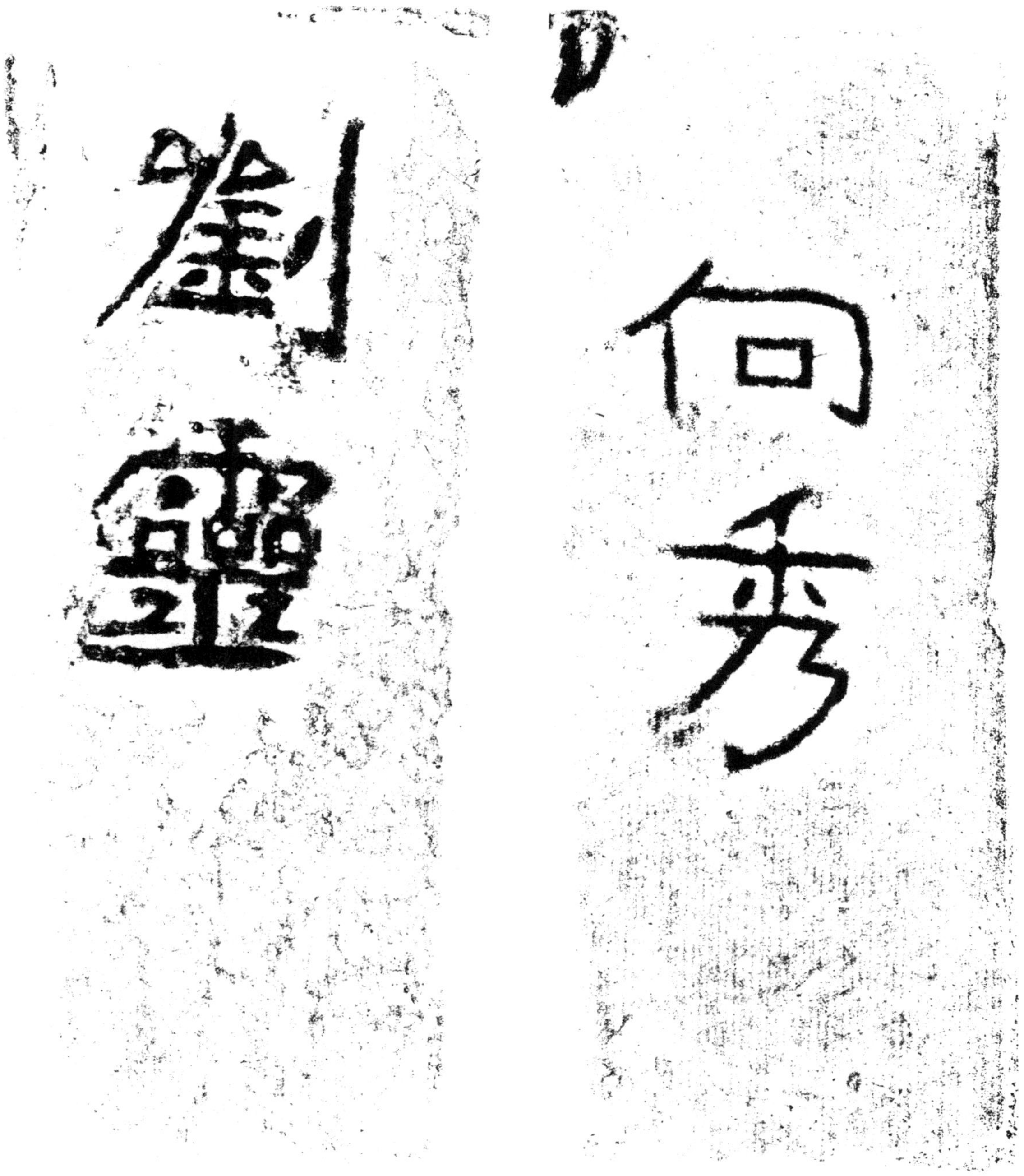

向秀劉靈磚
釋文：向秀
劉靈

阮咸榮啓期磚

釋文：阮咸
榮啓期

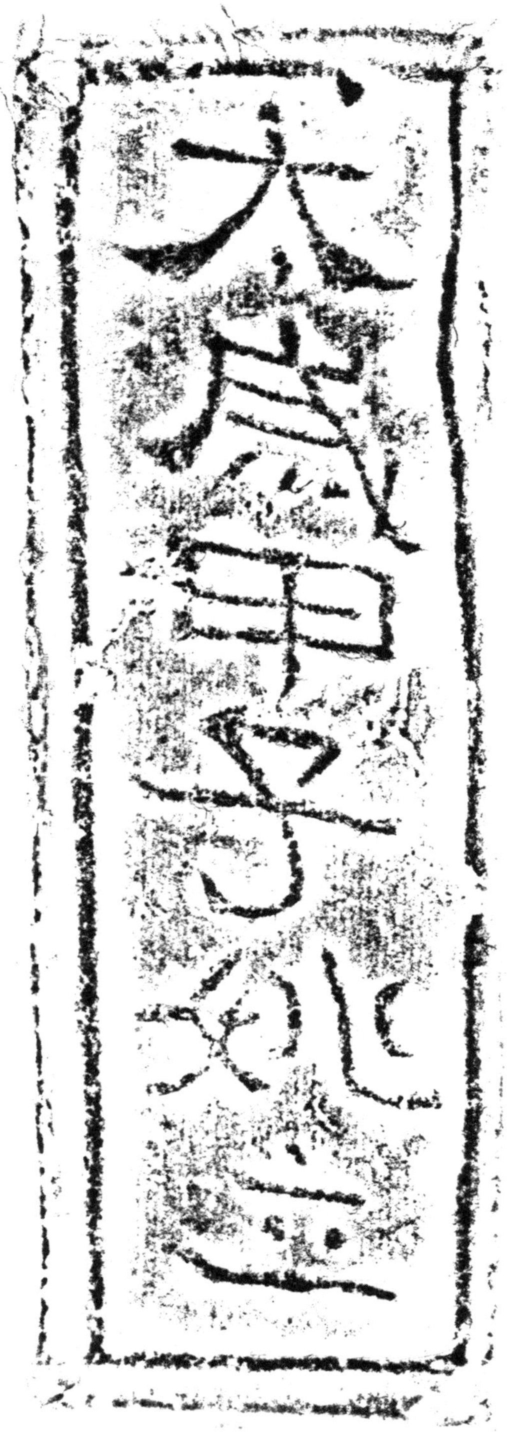

太歲甲子姚立磚

釋文：太歲甲子姚立

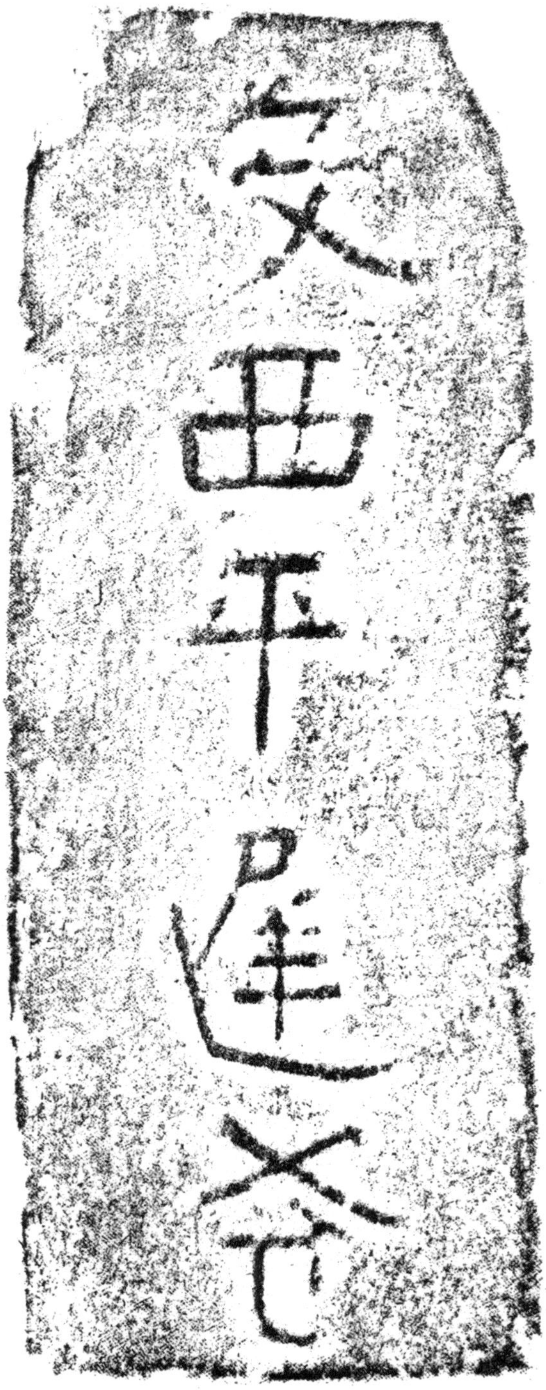

殳西平遲斧磚

釋文：殳西平遲斧

殳西平厚方磚
釋文：殳西平厚方

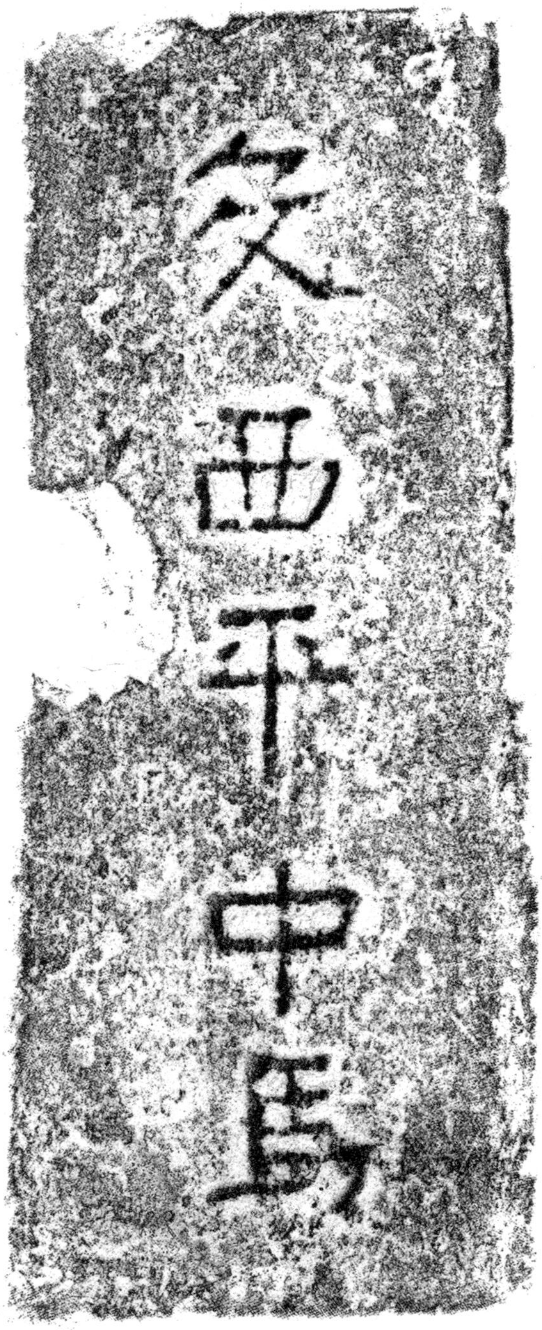

殳西平中馬磚
釋文：殳西平中馬

大寬磚
釋文：大寬

急斧磚片磚
釋文：急斧磚片

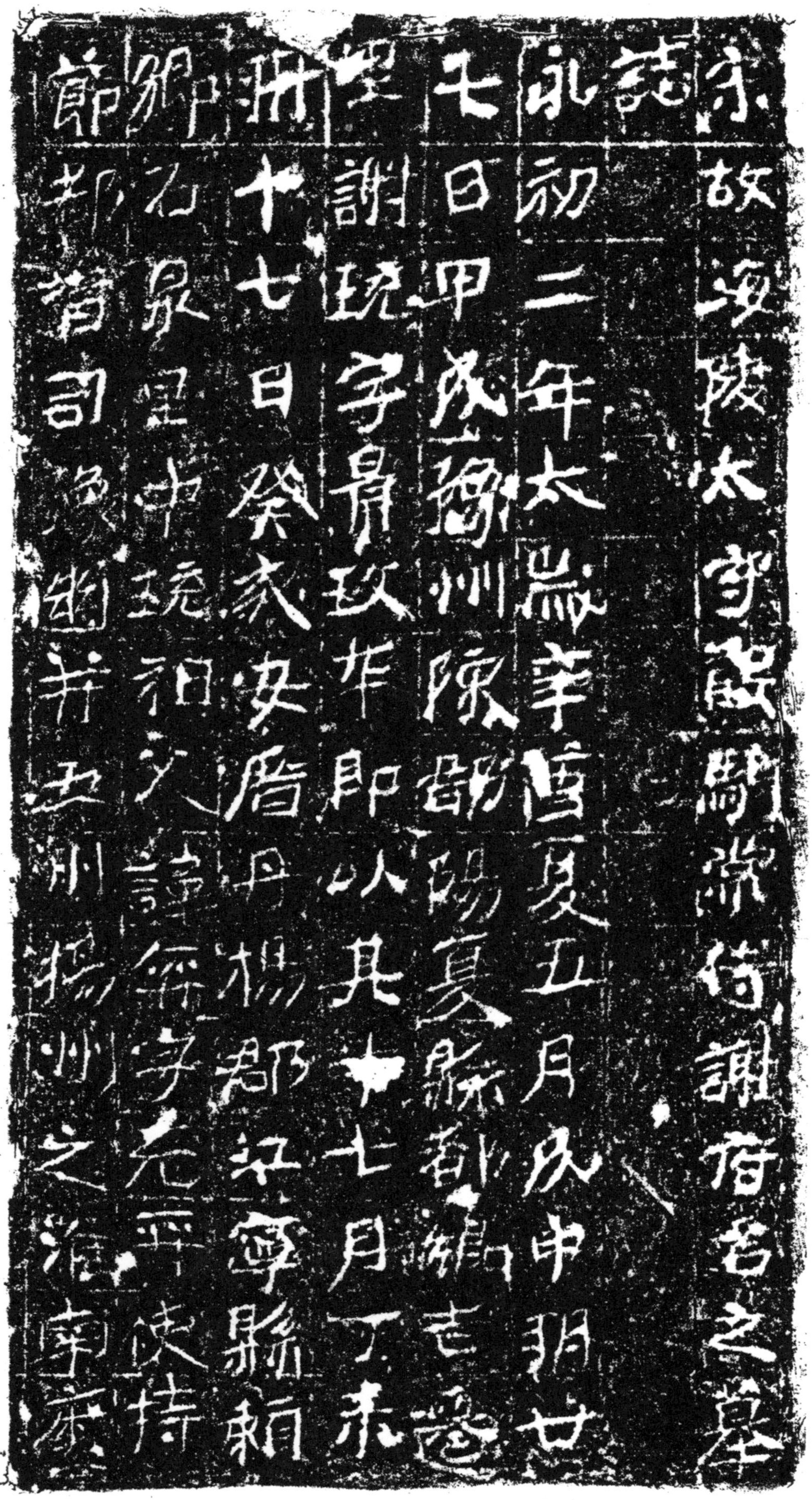

永初二年謝珫墓誌磚之一

釋文：宋故海陵太守散騎常侍謝府君之墓／誌／永初二年太歲辛酉夏五月戊申朔廿／七日甲戌豫州陳郡陽夏縣都鄉吉遷／里謝珫字景玫辛卯以其年七月丁未／朔十七日癸亥安厝丹楊郡江寧縣賴／鄉石泉里中珫祖父諱奕字元奕使持／節都督司豫幽并五州揚州之淮南府

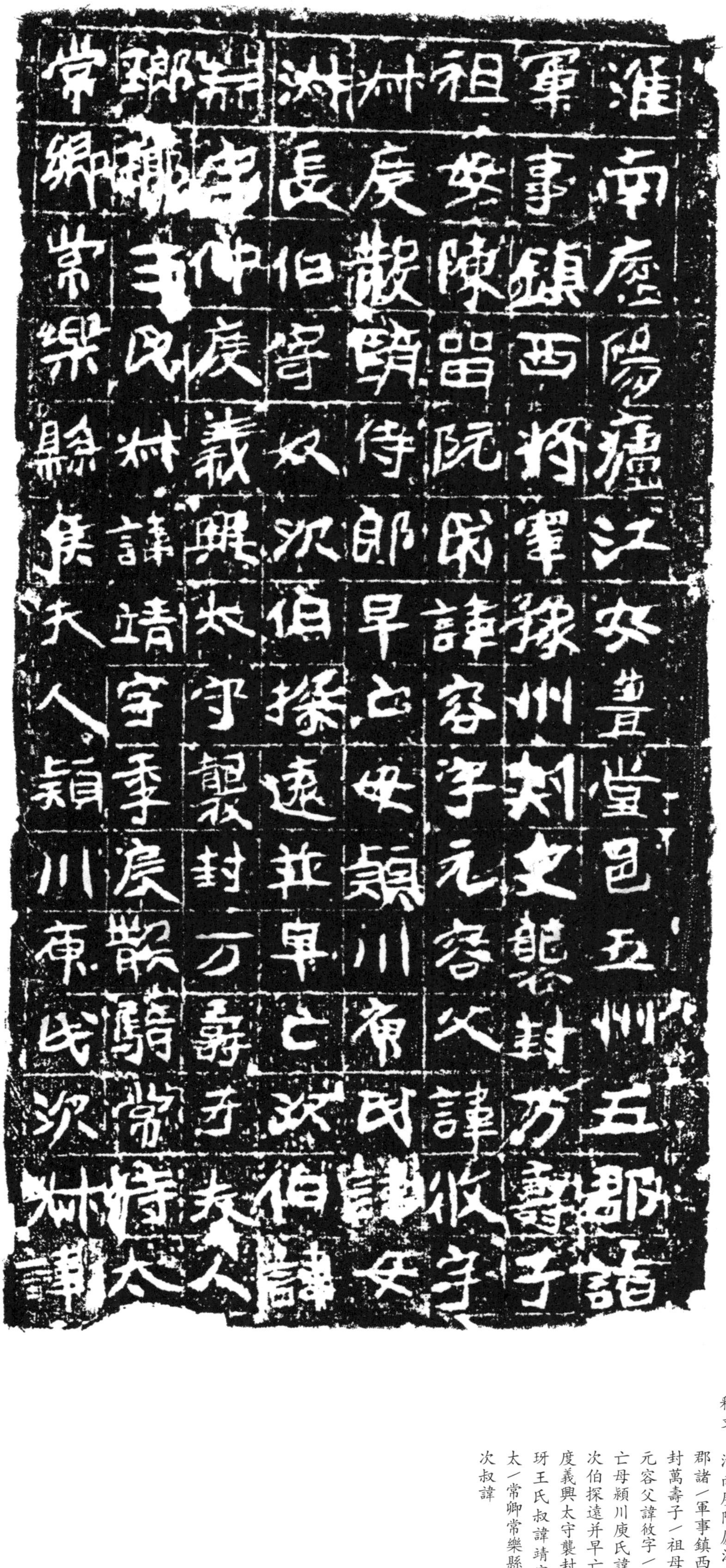

永初二年謝琉墓誌磚之二

釋文：淮南歷陽盧江安豐堂邑五州五郡諸／軍事鎮西將軍豫州刺史襲封萬壽子／祖母陳留阮氏諱容字元容父諱攸字／叔度散騎侍郎早亡母潁川庾氏諱女／淑長伯寄奴次伯探遠并早亡次伯諱／淵字仲度義興太守襲封萬壽子夫人／瑯玡王氏叔諱靖字季度散騎常侍太／常卿常樂縣侯夫人潁川庾氏次叔諱

永初二年謝琉墓誌磚之三

釋文：豁字安度早亡次叔諱玄字幼度
散騎／常侍使持節都督會稽五
郡諸軍事車／騎將軍會稽內史
康樂縣開國公謚曰／獻武前夫
人太山羊氏後夫人譙國桓／氏
次叔諱康字超度出繼從叔衛將
軍／尚襲封咸亭侯早亡長姑諱
韞字令姜／嫡瑯玡王凝之江州刺
史次姑道榮嫡／順陽范少連太子
洗馬次姑道粲嫡高

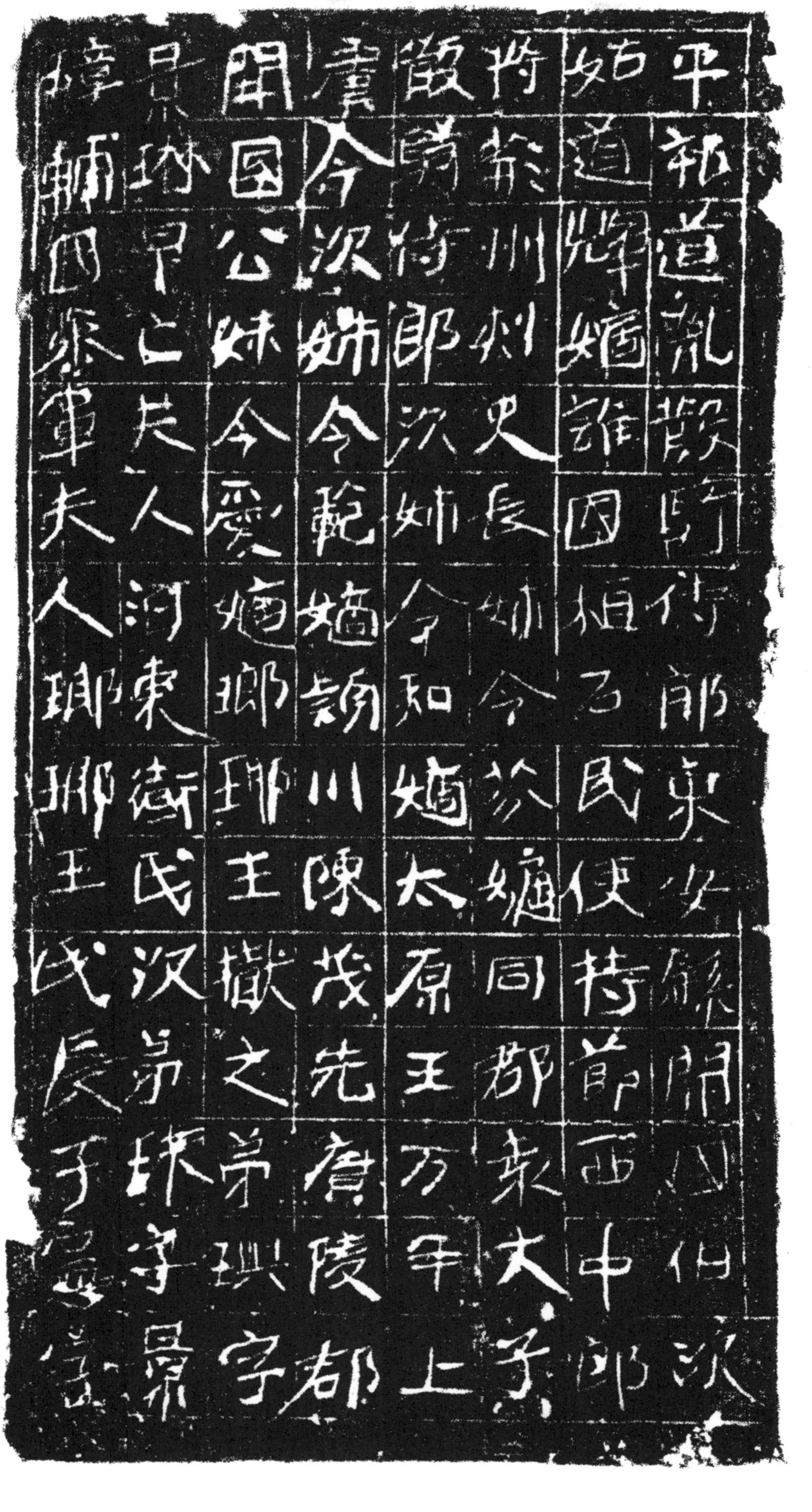

永初二年謝琉墓誌磚之四

釋文：平郗道胤散騎侍郎東安縣開國伯次／姑道輝嫡譙國桓石民使持節西中郎／將荊州刺史長姊令芬嫡同郡袁大子／散騎侍郎次姊令和嫡太原王萬年上／虞令次姊令範嫡潁川陳茂先廣陵郡／開國公妹令愛嫡瑯玡王撤之弟璵字／景琳早亡夫人河東衛氏次弟球字景／璋輔國參軍夫人瑯玡王氏長子寧字

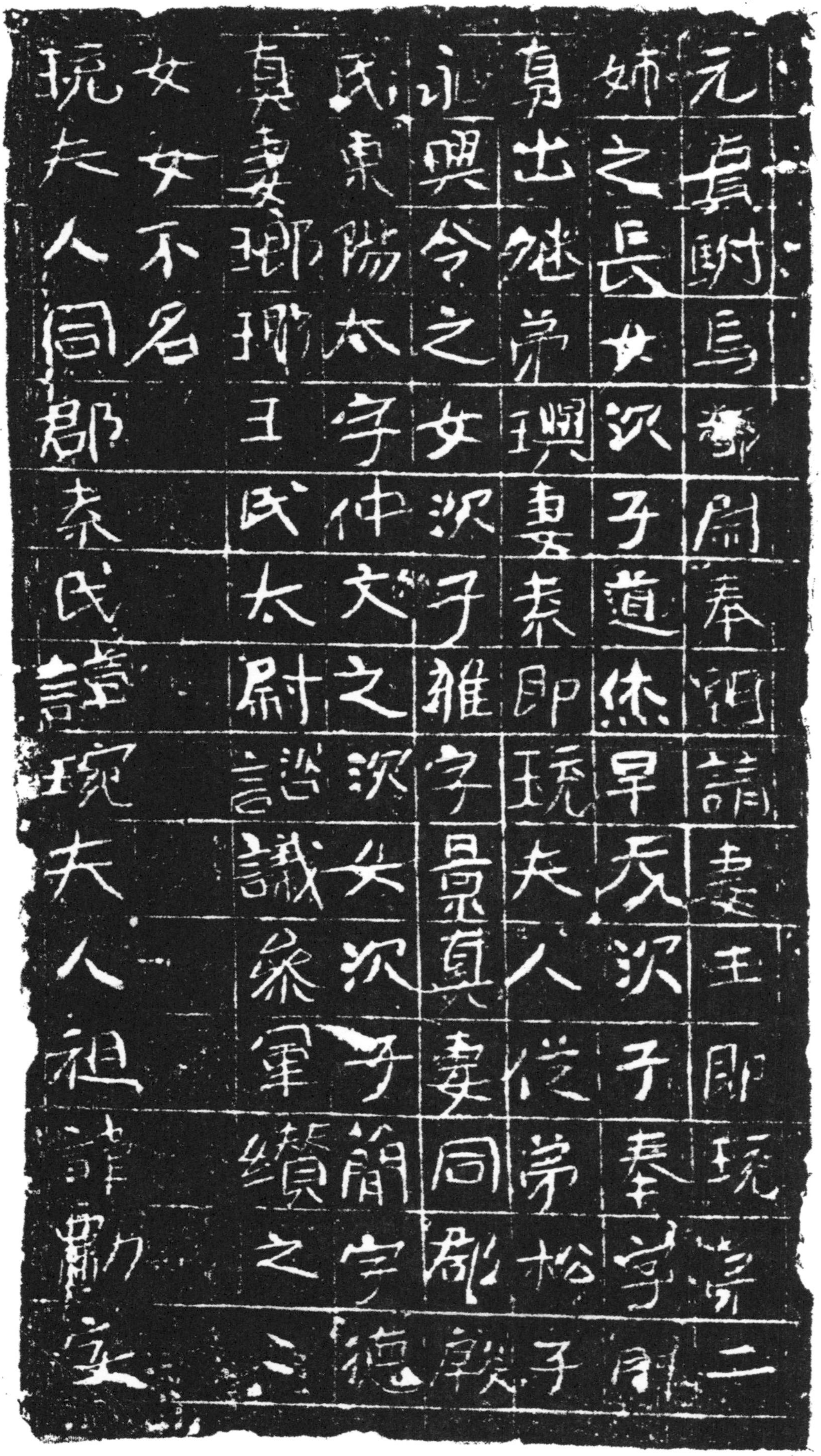

永初二年謝琉墓誌磚之五

釋文：元真駙馬都尉奉朝請妻王即琉第二／姊之長女次子道㤈早夭次子奉字□／真出繼弟璵妻袁即琉夫人從弟松子／永興令之女次子雅字景真妻同郡殷／氏東陽太守仲文之次女次子簡字德／真妻瑯玡王氏太尉諮議參軍纘之二／女女不名

琉夫人同郡袁氏諱琬夫人祖諱勖字

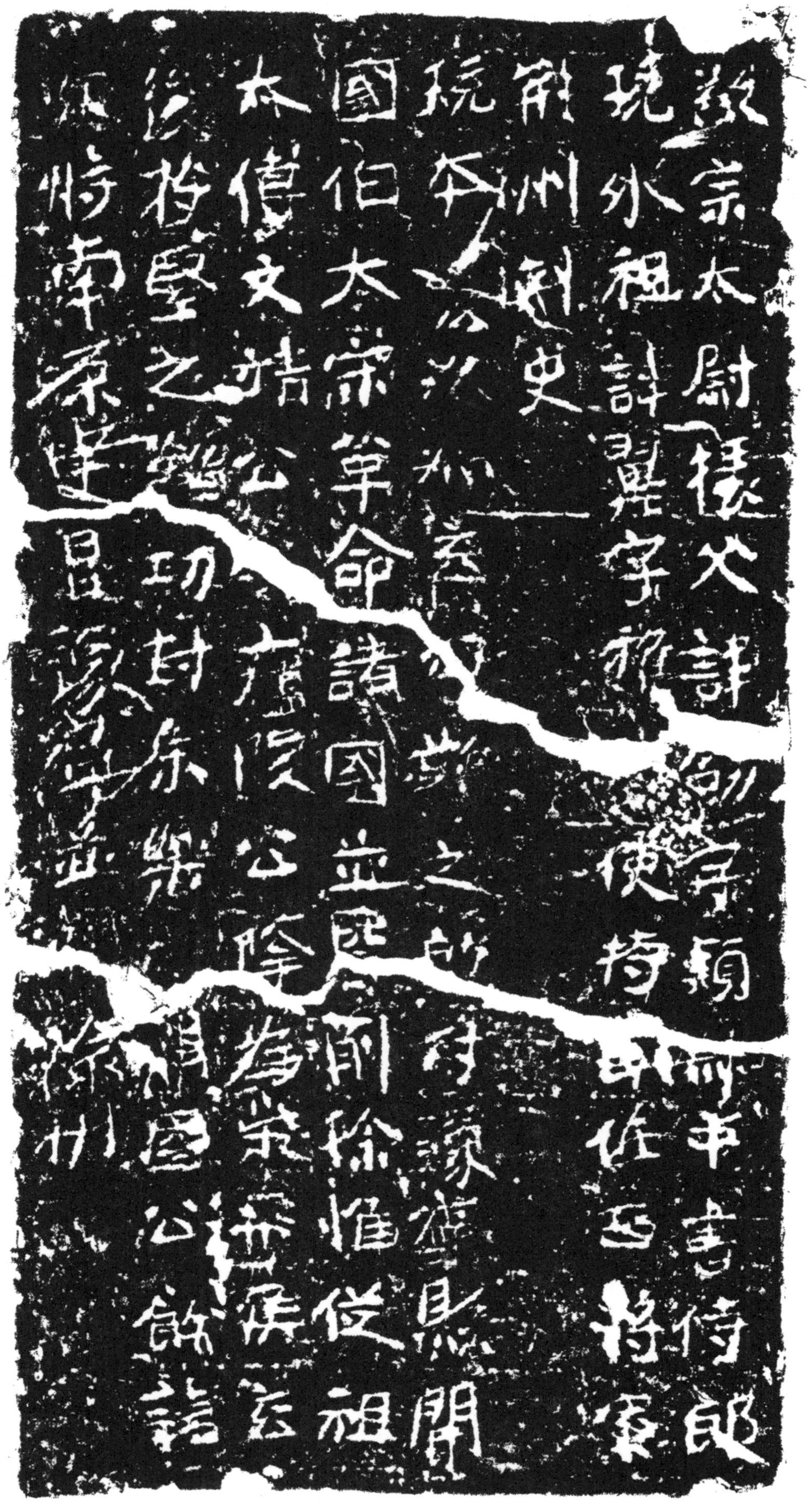

永初二年謝琉墓誌磚之六

釋文：敬宗太尉掾父諱砌字穎叔中書侍郎／琉外祖諱翼字稚恭使持節征西將軍／荆州刺史／琉本□次叔玄□□之□封豫寧縣開／國伯大宋革命諸國并皆削除惟從祖／太傅文靖公□盧陵公降爲柴桑侯玄／後苻堅之難功封康樂縣開國公餘諸／□□南康建昌豫寧并□徐州

元嘉元年磚

釋文：元嘉元年八□作

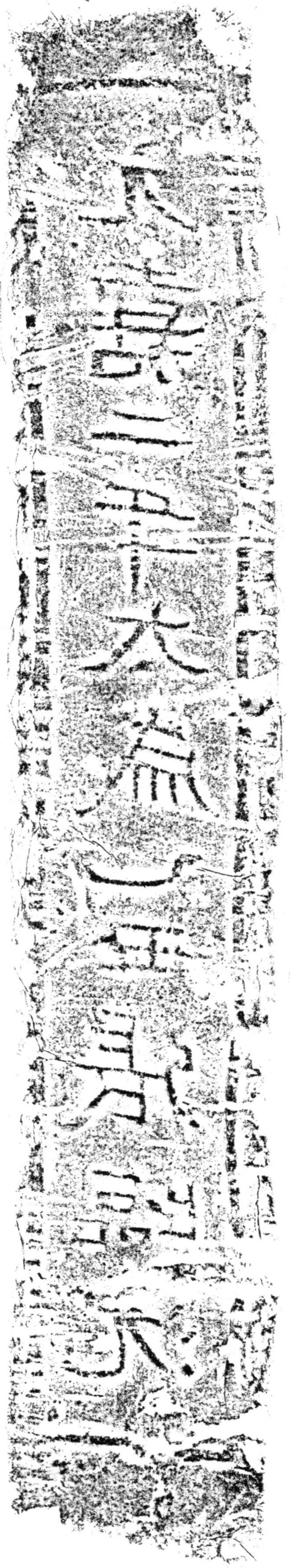

元嘉二年張臨沅磚

釋文：元嘉二年太歲乙丑張臨沅

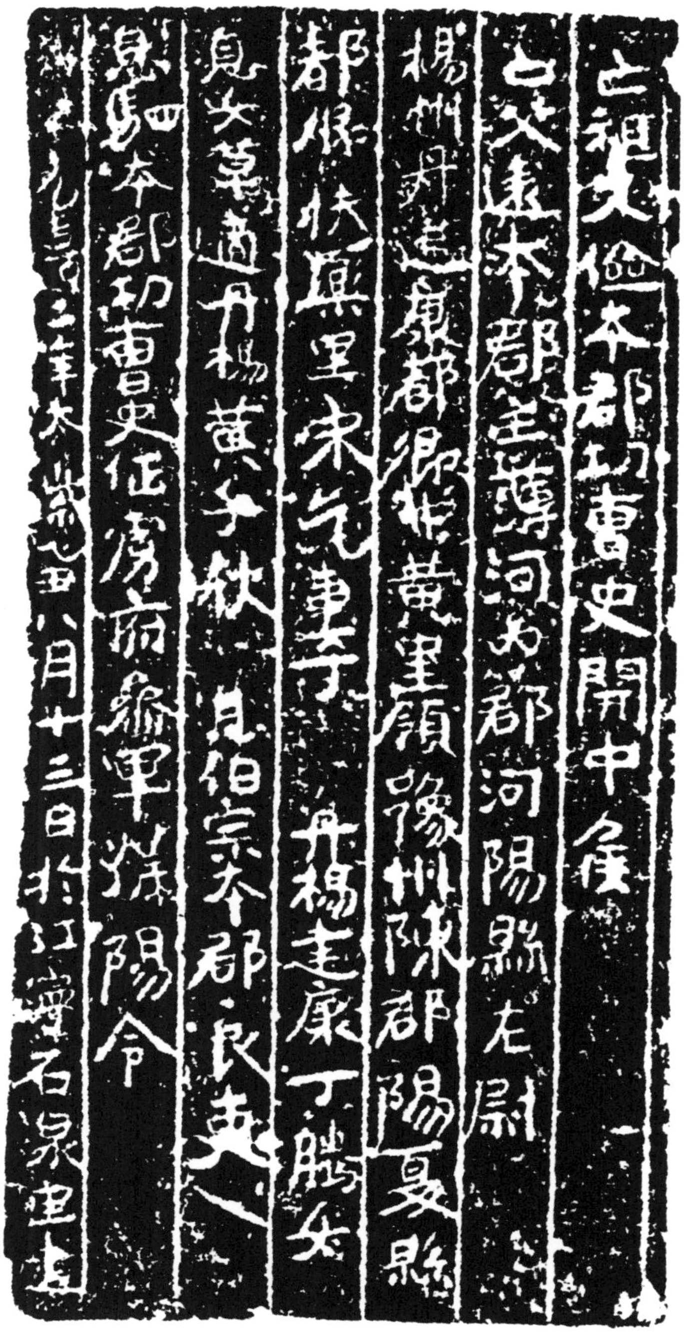

元嘉二年宋乞墓誌磚

釋文：亡祖父儉本郡功曹史關中侯／亡父遠本郡主簿河内郡河陽縣右尉／楊州丹建康都鄉中黄里領豫州陳郡陽夏縣／都鄉扶樂里宋乞妻丁丹楊建康丁騰女／息女草適丹楊黄千秋息伯宗本郡良吏／息駟本郡功曹史征虜府參軍濮陽令／元嘉二年太歲乙丑八月十三日於江寧石泉里建

元嘉三年建業磚

釋文：宋元嘉三／年八月／廿七日起／建業作

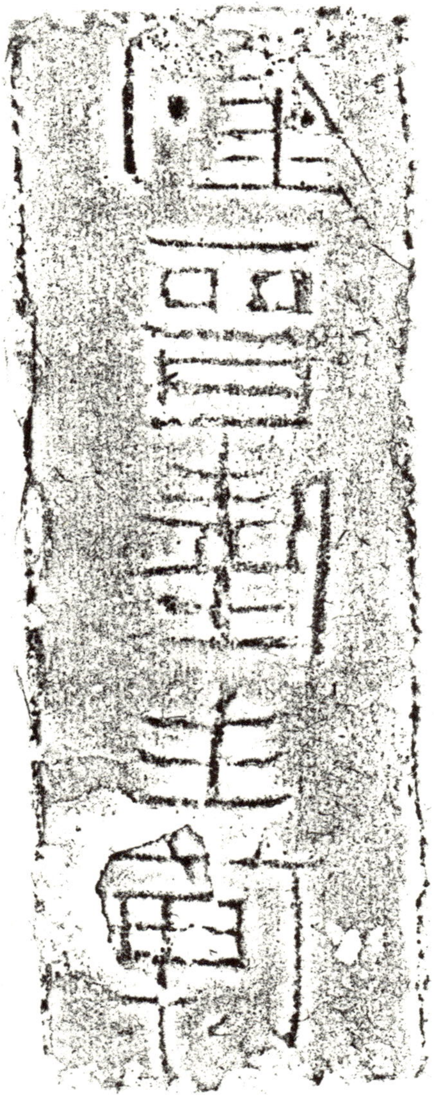

元嘉五年劉晉陸磚
釋文：劉晉陸主薄
冢戊辰元嘉五年道朗惠作

元嘉七年磚
釋文：元嘉七年一太歲在□□

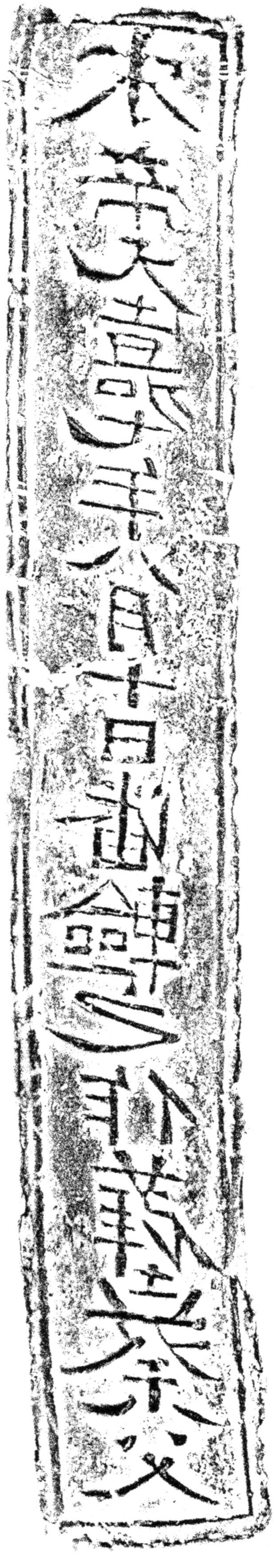

元嘉七年潘輸之磚
釋文：宋帝元嘉七年八月十日潘輸之作
甓蔡父

元嘉九年磚
釋文：元嘉九年九月壬寅朔

元嘉九年熊府君墓誌磚之一
釋文：宋故荊州建平郡秭歸縣

元嘉九年熊府君墓誌磚之二
釋文：都鄉廣亭里熊孝廉府君

元嘉九年熊府君墓誌磚之三
釋文：之靈墓以元嘉九年

元嘉九年熊府君墓誌磚之四
釋文：熊氏之先蓋顓頊之苗裔

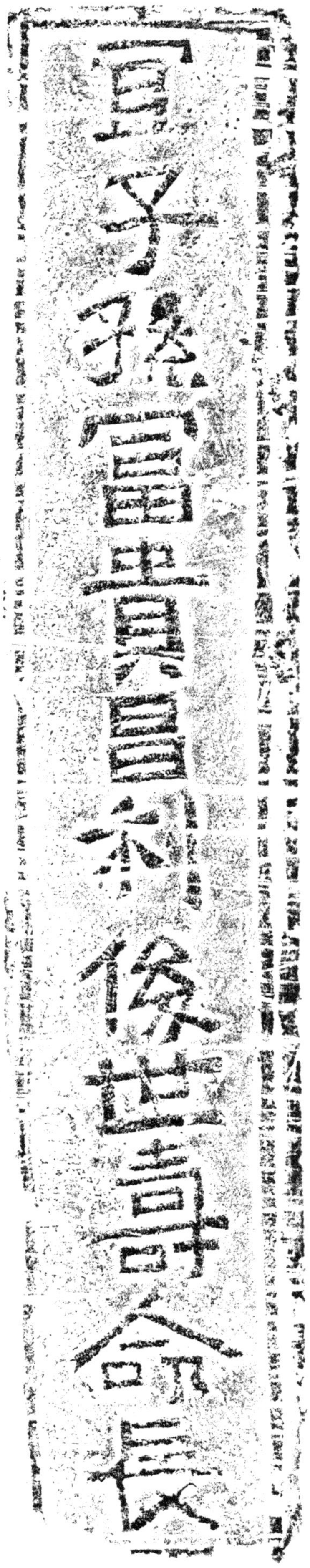

元嘉九年熊府君墓誌磚之五
釋文：宜子孫富貴昌利後世壽命長

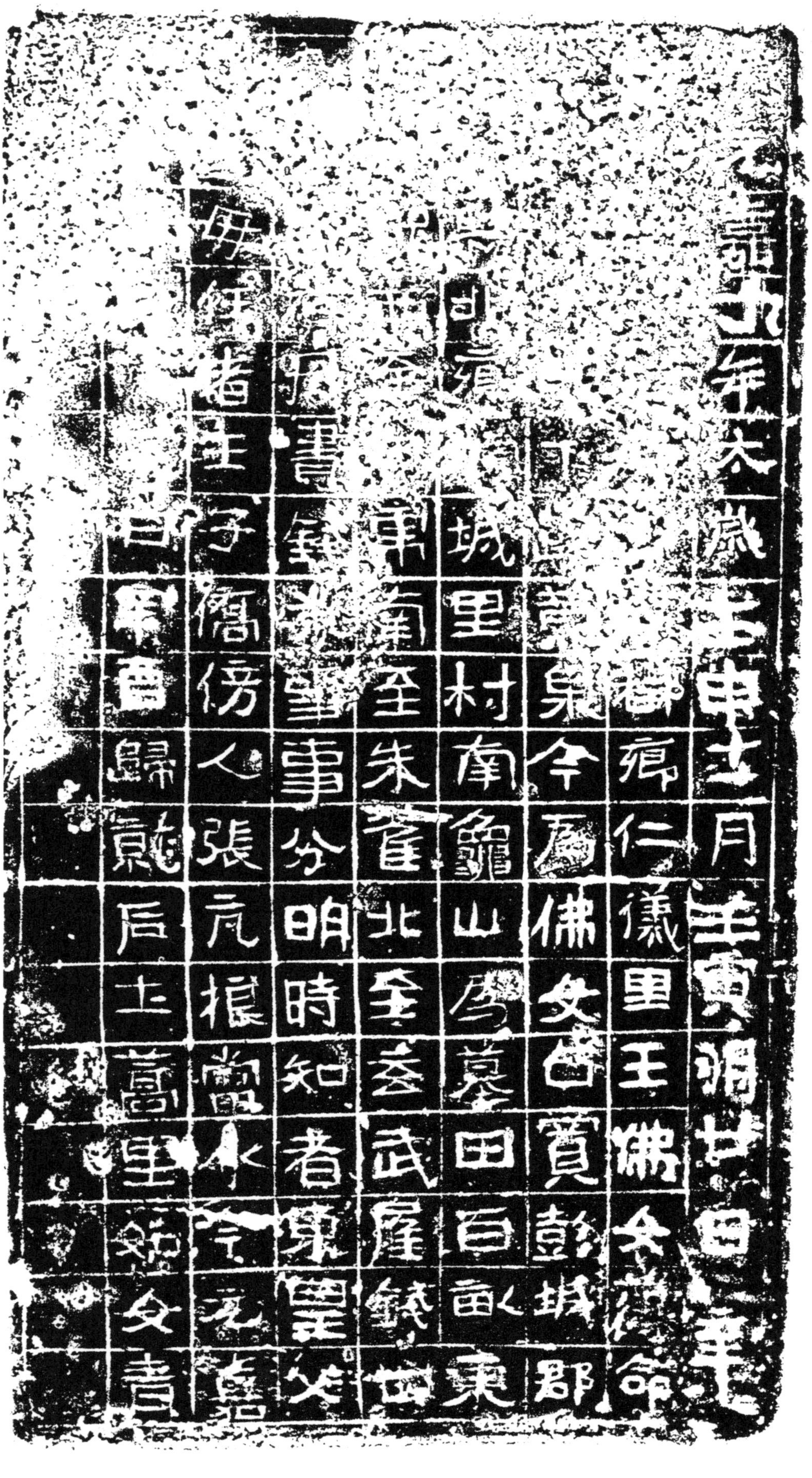

元嘉九年王佛女買地券磚

釋文：□元嘉九年太歲在壬申十一月壬寅朔廿日辛/□□□□□□□都鄉仁儀里王佛女□命/□□□□□□黃泉今爲佛女占買彭城郡/□□□□鄉□城里村南龜山爲墓田百畝東/至青龍西至白虎南至朱雀北至玄武雇錢□/□□□□□書錢券事事分明時知者東皇父/西王母任者王子僑傍人張亢根當承今元嘉/□□□□□□日辛酉歸就后土蒿里如女青/□□□□□□

元嘉十年磚
釋文：元嘉十年太歲丁酉

元嘉十年磚
釋文：元嘉十年太歲丁酉

元嘉十二年磚

釋文：宋世元嘉十二年乙亥歲造

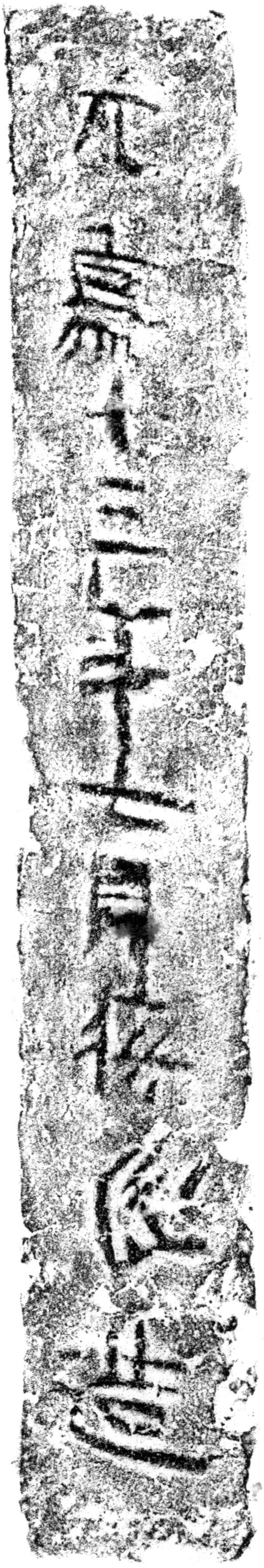

元嘉十三年磚

釋文：元嘉十三年七月□□造

元嘉十六年磚

釋文：吴賊曹之□大宋元嘉十六年歲在己卯

元嘉十六年吴賜磚

釋文：元嘉十六年九月十日吴賜作

元嘉十七年磚

釋文：元嘉十七年

元嘉十七年□長文磚

釋文：元嘉十七年太歲庚辰八月廿日□長文作

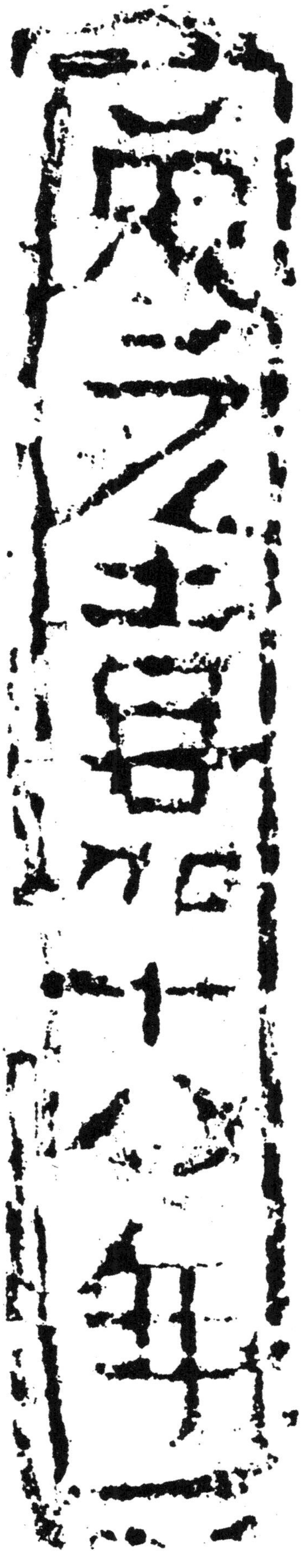

元嘉十八年磚

釋文：宋元嘉十八年

元嘉十八年邵公磚
釋文：宋元嘉十八年邵公□

元嘉十八年邵公磚
釋文：宋元嘉十八年邵公墓

元嘉十八年孫惠妻李氏墓記磚

釋文：元嘉十八年/孫惠妻李

元嘉十九年潘翔磚

釋文：宋元嘉十九年潘翔建墓

元嘉二十年磚
釋文：嘉廿年

元嘉二十年孫君磚
釋文：元嘉廿年孫君造

元嘉二十年磚
釋文：宋元嘉廿年

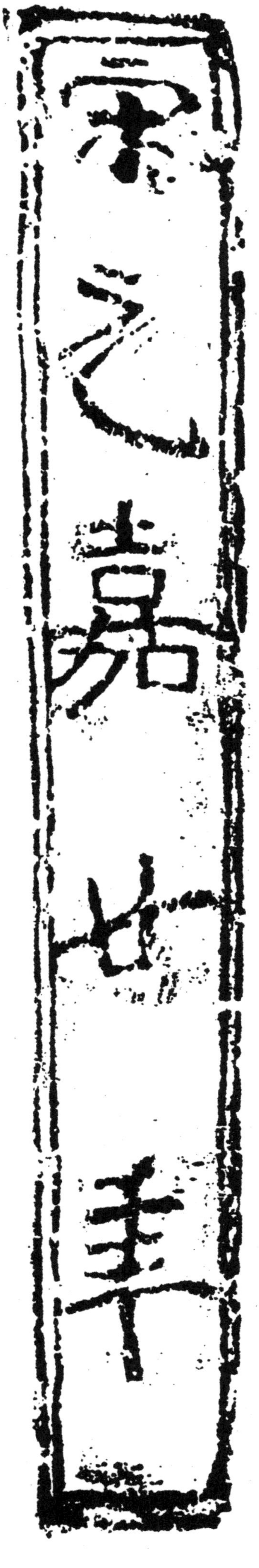

元嘉二十年磚
釋文：宋元嘉廿年

元嘉二十四年磚
釋文：元嘉廿四年丁亥歲九月一日作十二□壁

元嘉二十五年吴氏磚

釋文：元嘉廿五年郡功曹吴吉堂

宋元嘉二十六年磚

釋文：宋元嘉廿六年

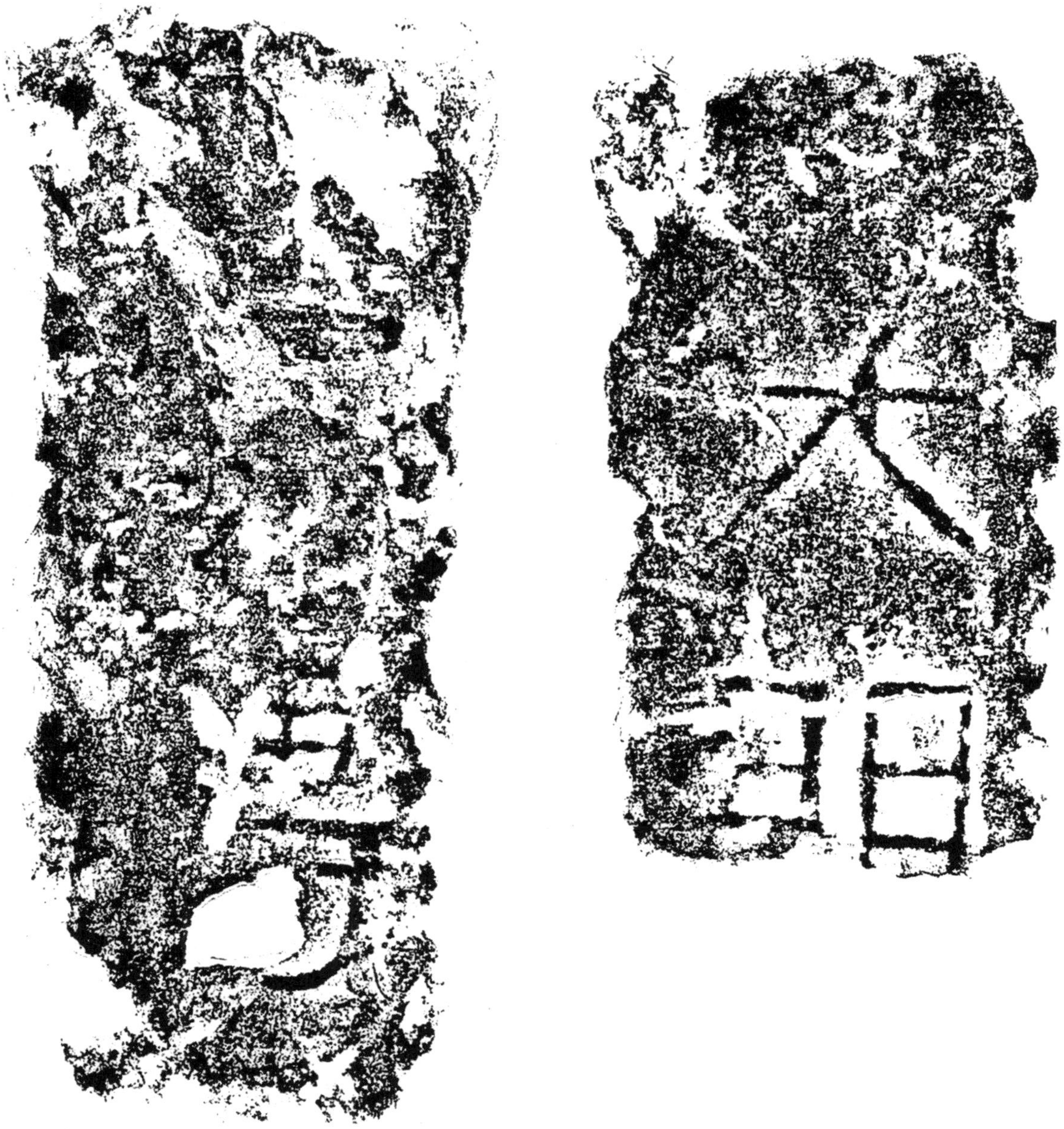

大明年磚

釋文：大明

壽

大明四年磚

釋文：宋大明四年太歲庚子八月造

泰始三年縣官磚

釋文：泰始三年縣官作

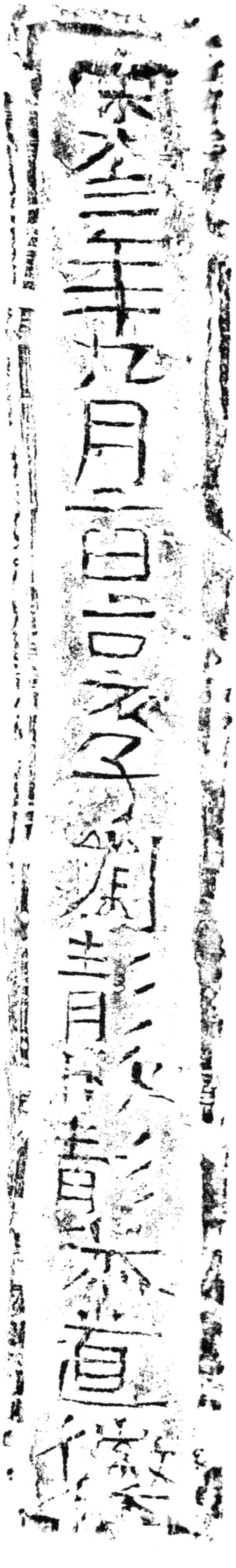

泰始三年劉清欣磚

釋文：宋太三年九月二日哀子劉清欣清恭道徽作

泰始五年磚

釋文：泰始五年八月廿四日作

泰始六年李苞墓記磚

釋文：泰始六年五月/盪寇將軍李苞

泰始七年梁士曹磚

釋文：宋泰始七年／梁士曹之墓

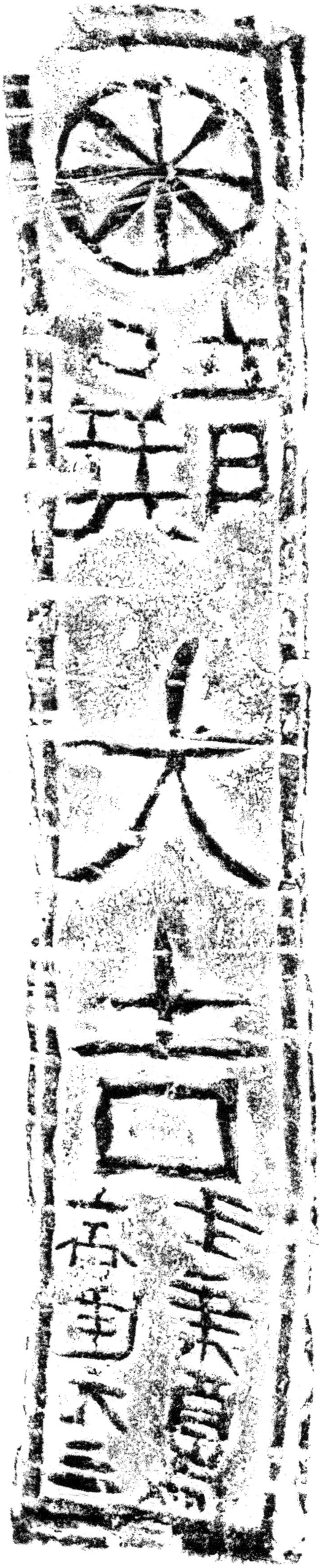

建元三年磚

釋文：龔大吉／齊建元三／年辛酉歲

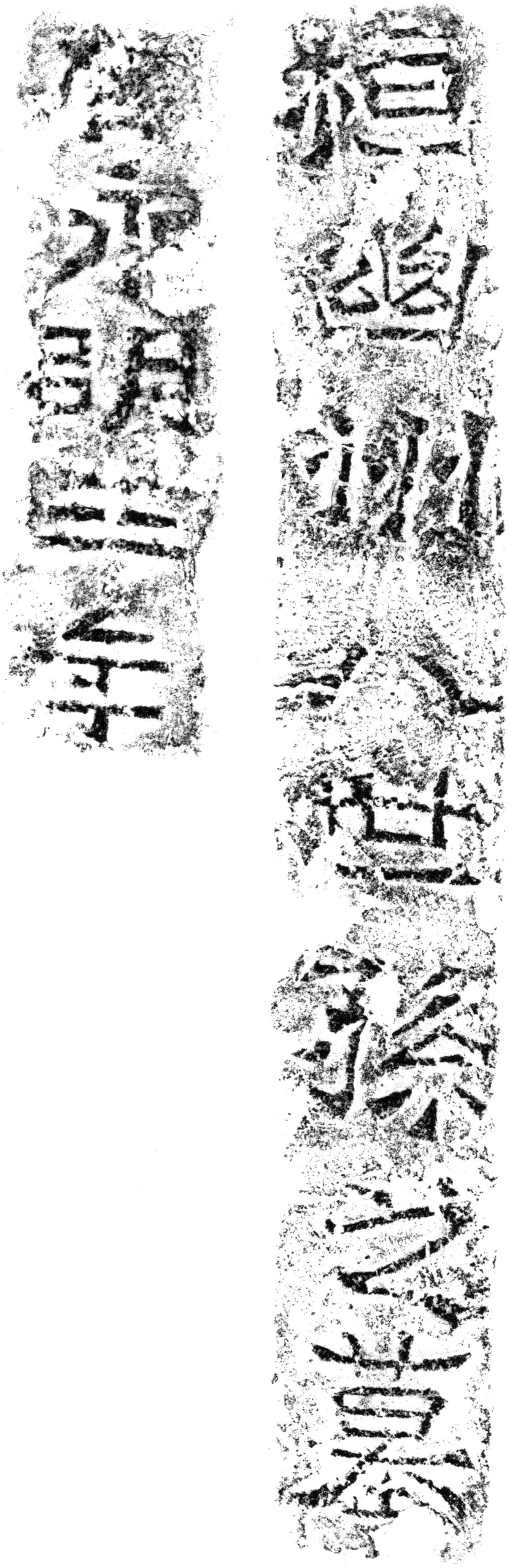

永明三年磚

釋文：桓幽州八世孫之墓
齊永明三年

永明五年丁氏磚

釋文：齊永明五年丁／農民作□□□□

永明五年王道興磚

釋文：永明五年王道興

永明八年磚
釋文：永明八年庚午萬代君侯

永明九年磚
釋文：永明九年十月一日作

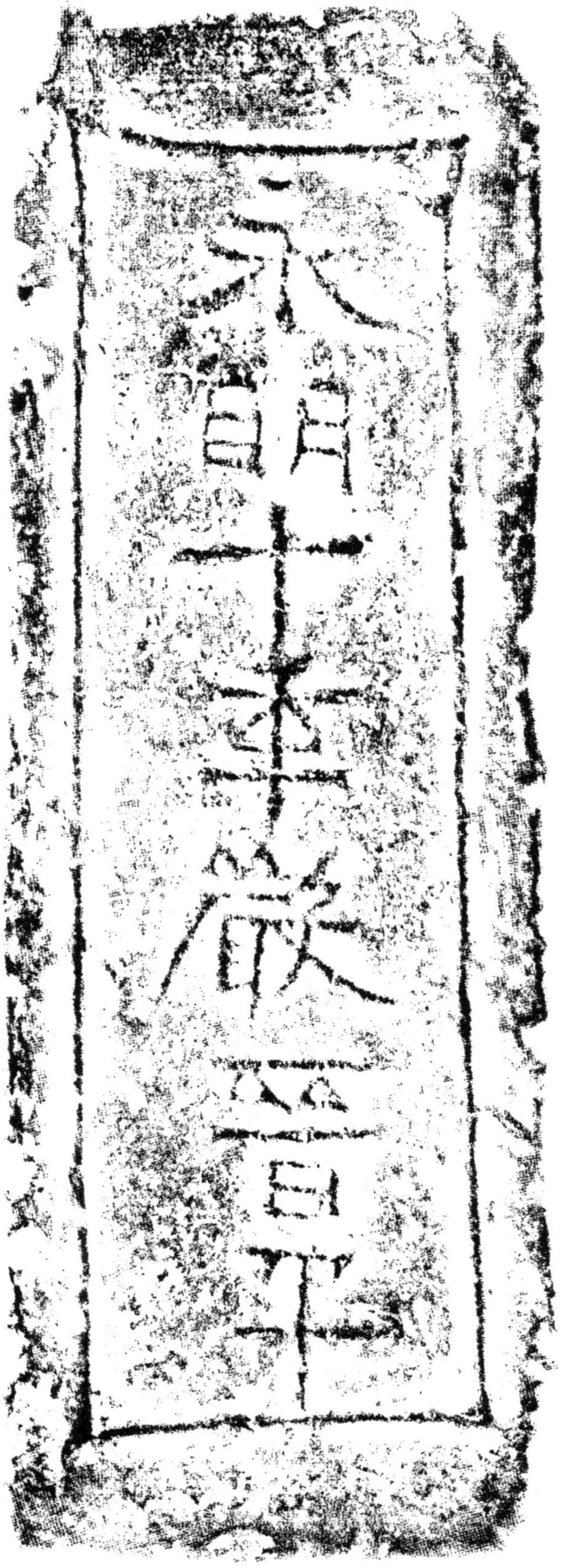

永明十年嚴晋平磚

釋文：永明十年嚴晋平

永明十一年張元明父磚

釋文：永明十一年張元明父墓

建武二年孟法開磚

釋文：建武二元年八月孟法開

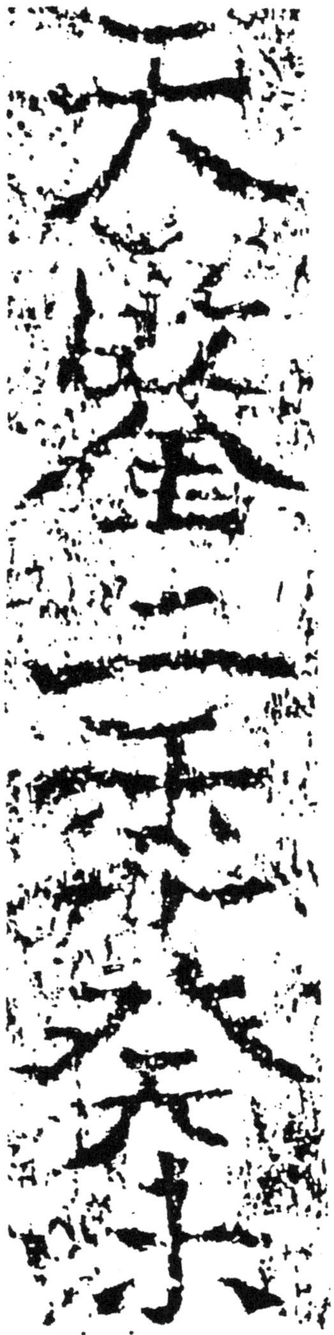

天鑒二年磚
釋文：天鑒二年癸未

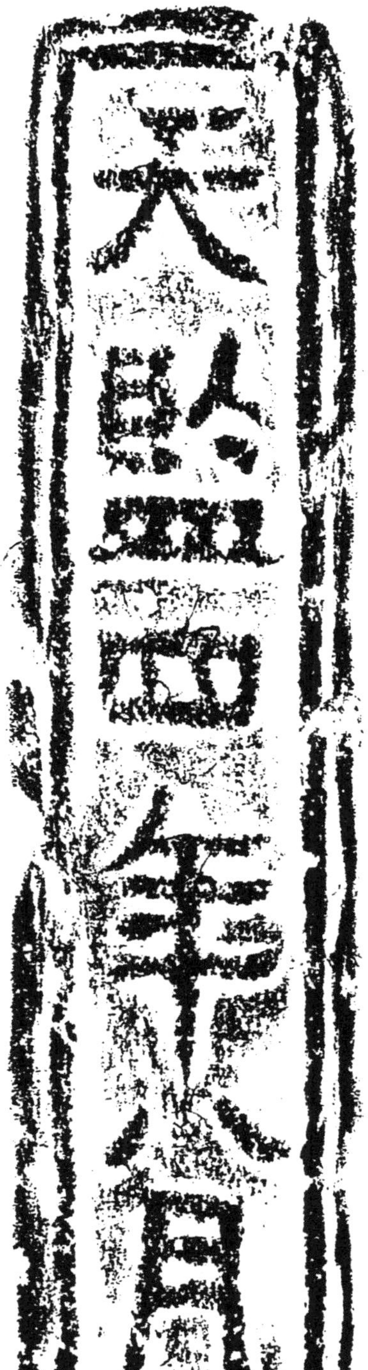

天監四年磚
釋文：天監四年八月

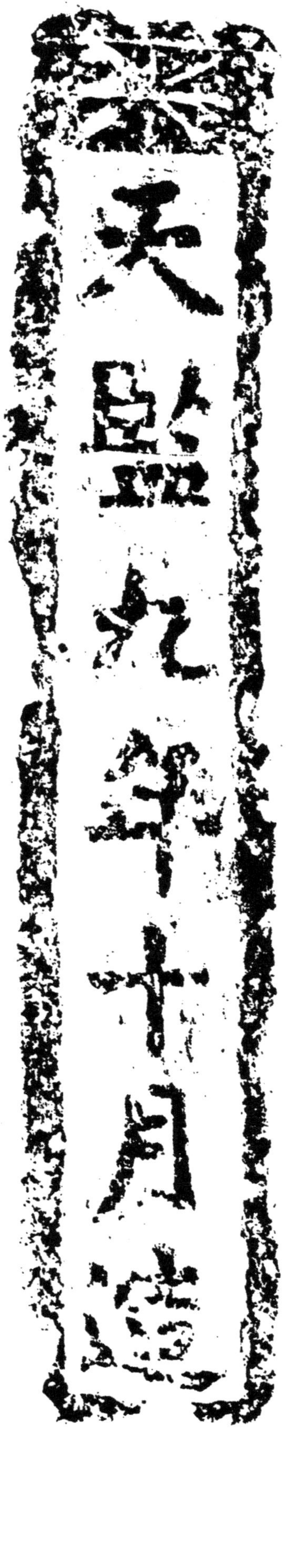

天監九年磚

釋文：天監九年十月造

天監十二年磚

釋文：天監十二年□清河家

天監十六年磚

釋文：梁天監十六年

天監十八年魏彥磚
釋文：梁天監十八年女□里魏彥祖造

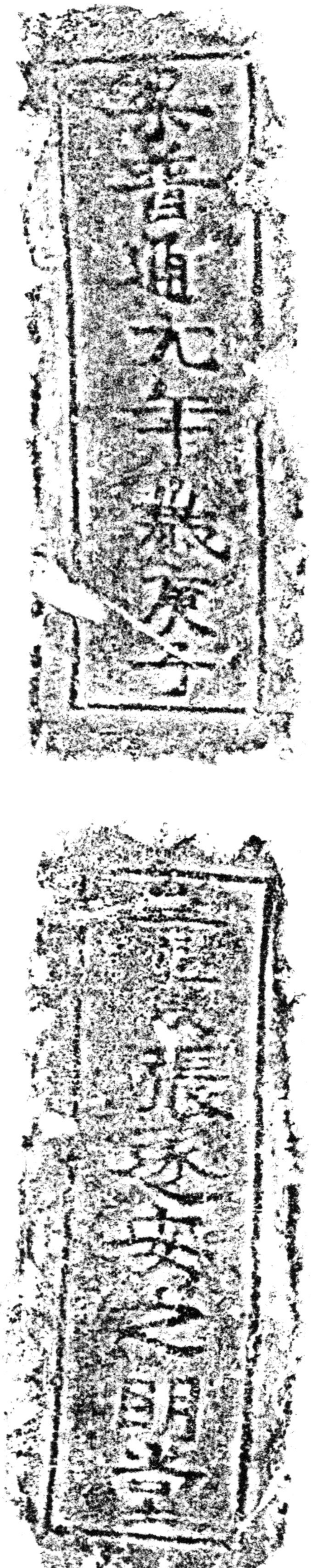

普通元年張遂安磚
釋文：梁普通元年歲庚子
□□張遂安之明堂

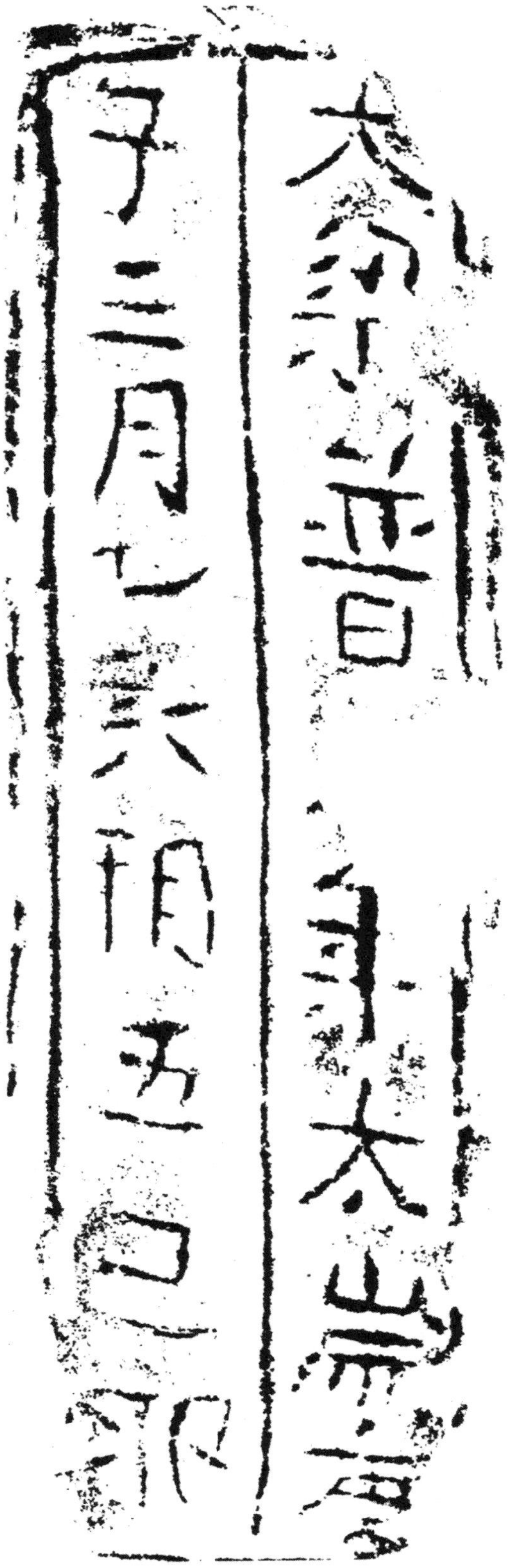

普通年磚

釋文：大梁普□□年太歲庚／子三月
乙亥朔五己卯

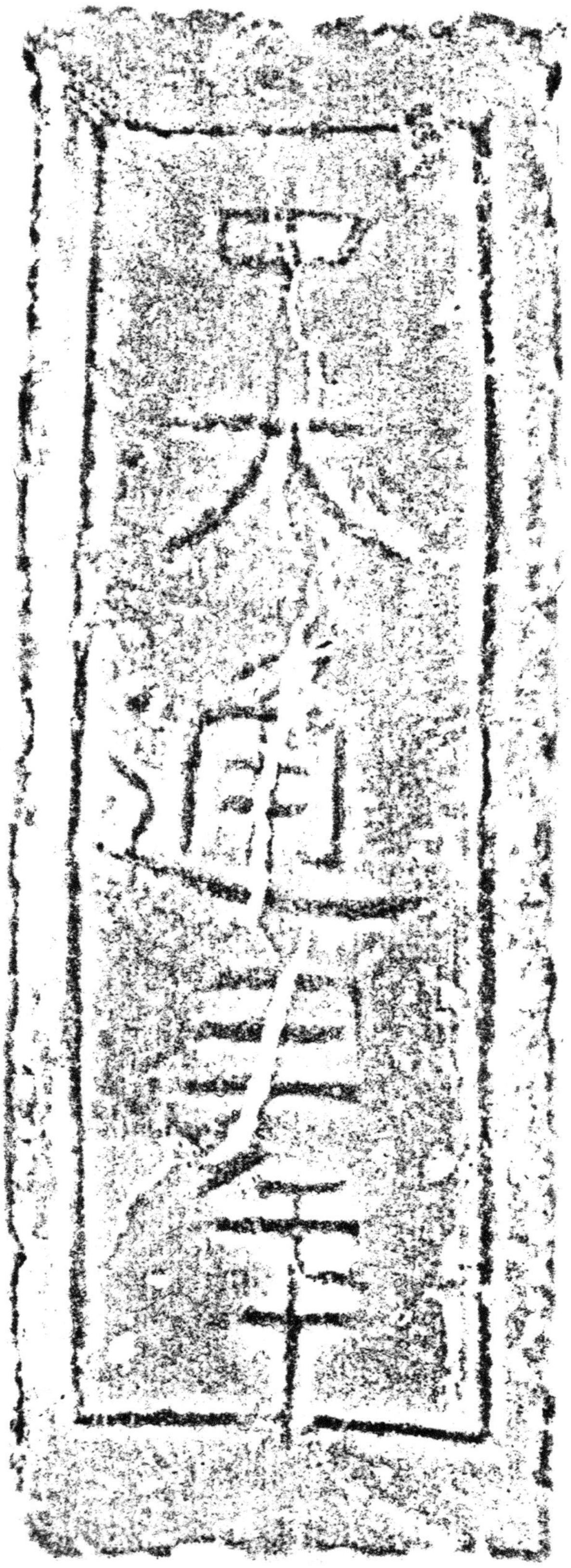

中大通三年磚

釋文：中大通三年

中大通五年殷氏磚

釋文：大梁太歲癸丑殷氏墓

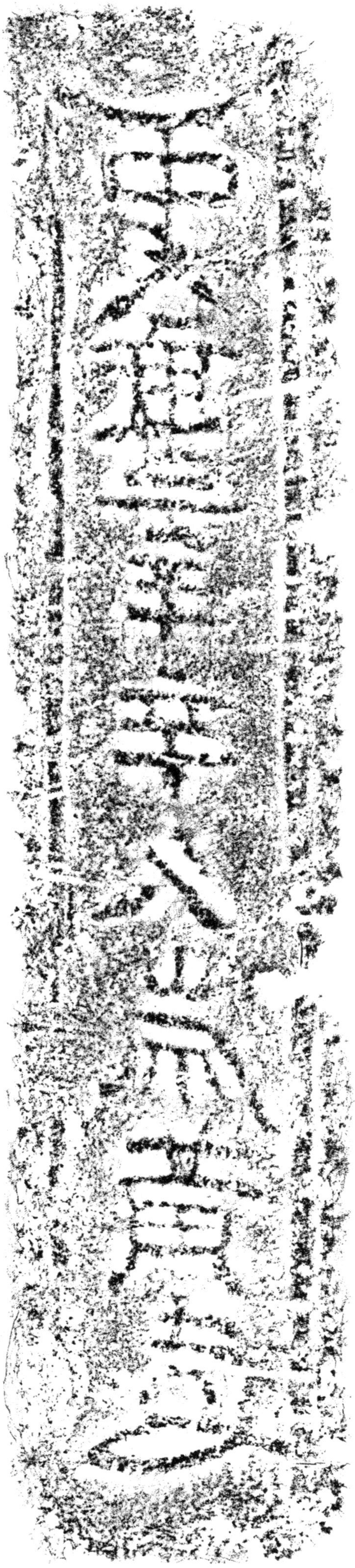

中大通三年黃氏磚

釋文：中大通三年辛亥歲黃造

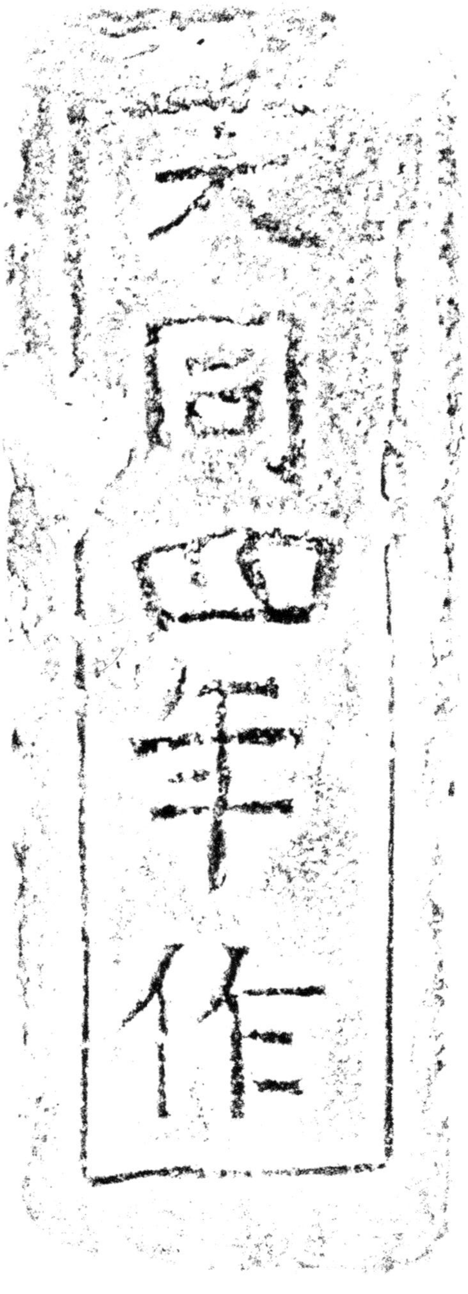

大同四年磚

釋文：大同四年作

大同九年磚

釋文：梁大同九年癸亥

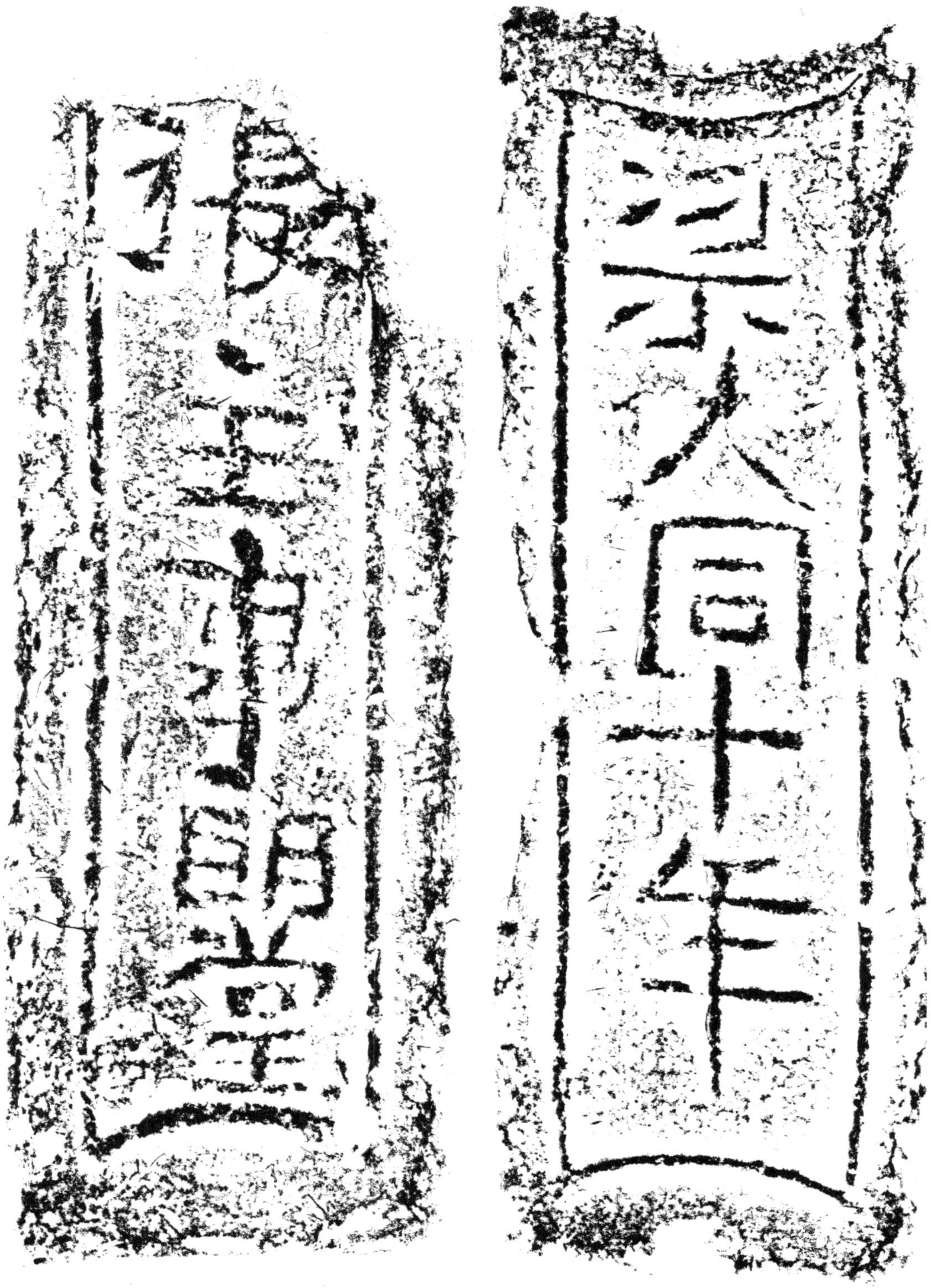

大同十年張主事磚

釋文：梁大同十年
張主事明堂

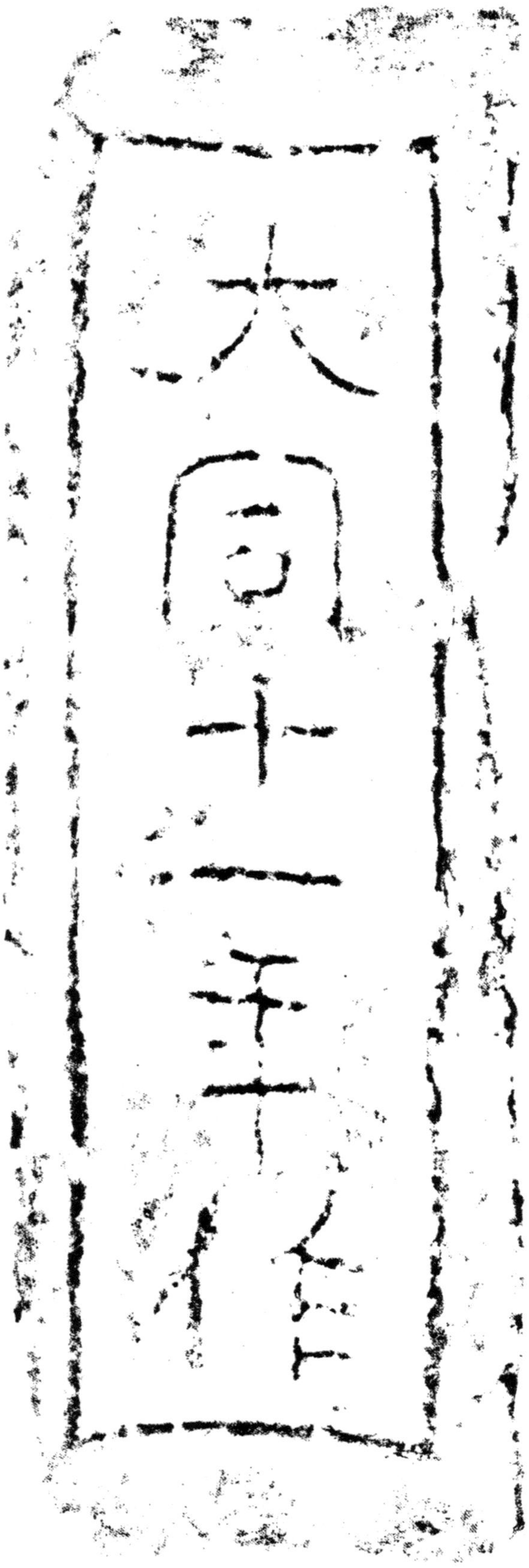

大同十一年磚

釋文：大同十一年作

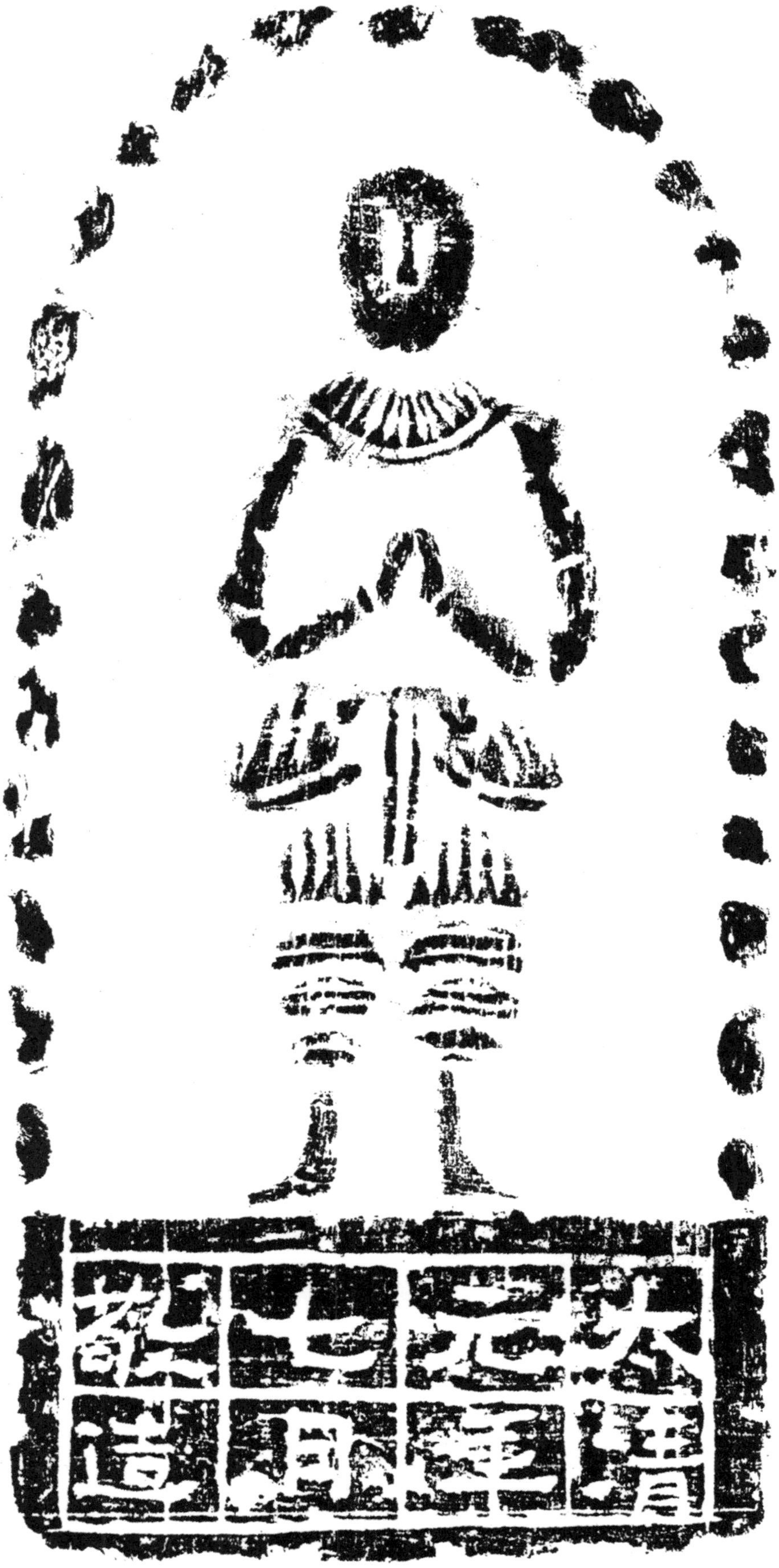

太清元年造像磚

釋文：太清／元年／七月／敬造

太建二年殷氏磚
釋文：太建二年五月殷氏立

至德元年磚
釋文：大陳至德元年癸卯作

至德二年梁龕墓記磚

釋文：至德二年歲次甲辰／四月乙丑十五日乙卯大／興縣安道鄉常樂坊民／梁龕銘記十五日入塘

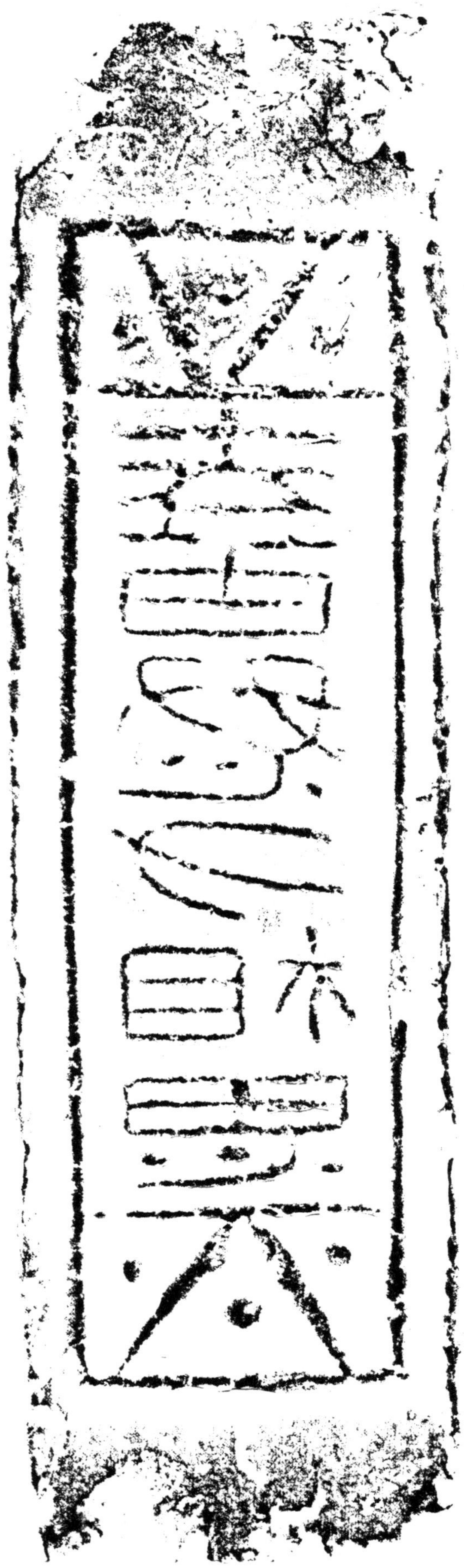

去苦怒力相思磚

釋文：去苦怒力相思

冢安人興千子萬孫磚

釋文：冢安人興千子萬孫

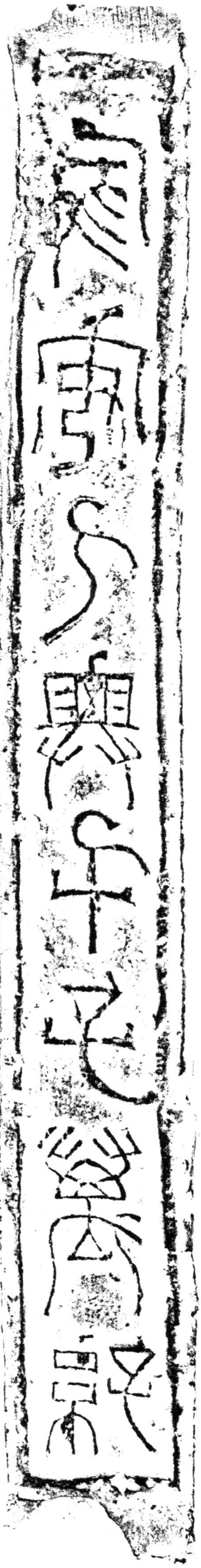

冢安人興千子萬孫磚

釋文：冢安人興千子萬孫

吉善萬世大留作者皆壽磚

釋文：吉善萬世大留作者皆壽

大吉昌樂未英左陽遂宜富貴安磚

釋文：大吉昌樂未英左陽遂宜富貴安

宜子孫吉大羊樂未英磚
釋文：宜子孫吉大羊樂未英

吉且翔宜公卿之塋磚

釋文：吉且翔宜一公卿之塋

太歲在己亥萬歲磚

釋文：太歲在己亥萬歲

宜侯王磚

釋文：宜侯王

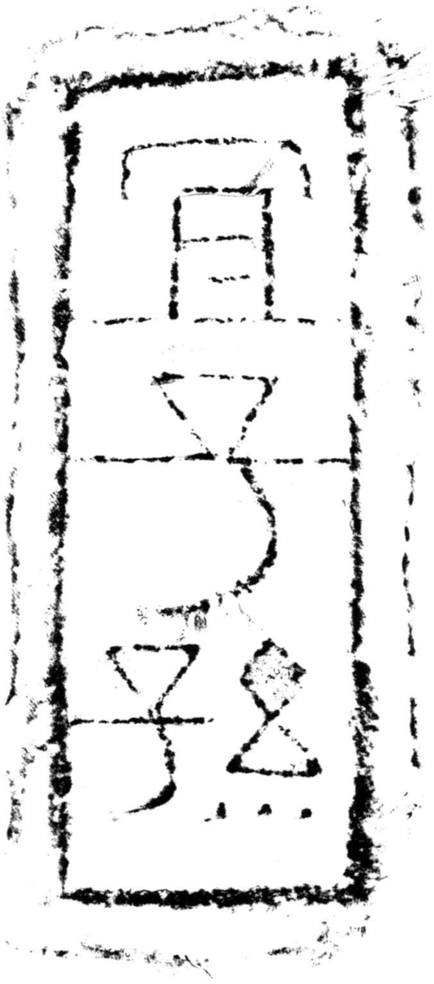

宜子孫磚

釋文：宜子孫

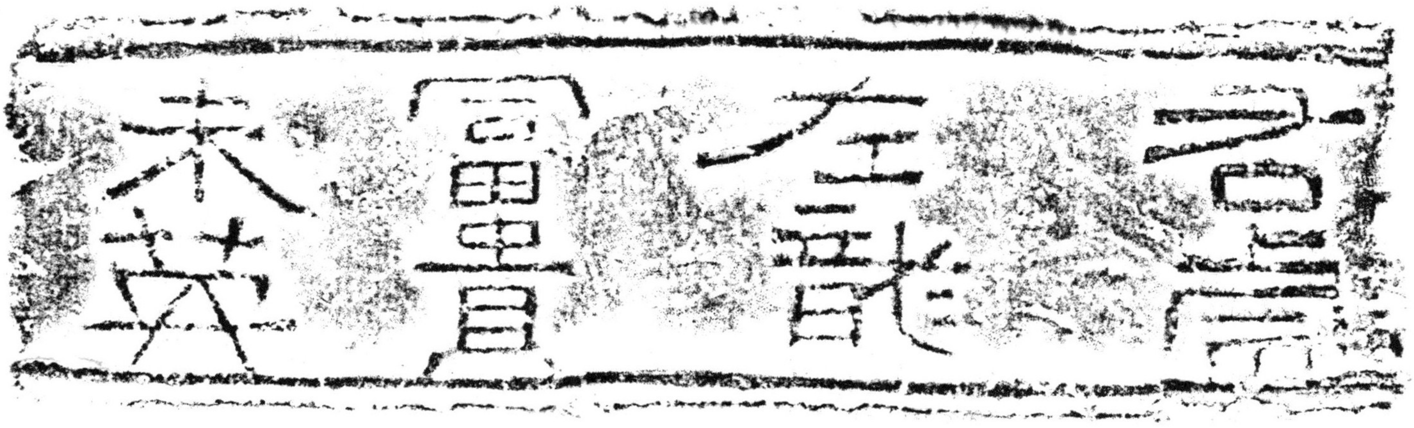

右虎左龍富貴未英磚

釋文：右虎／左龍／富貴／未英

烏呼哀哉等字磚

釋文：烏呼哀哉處斯幽冥潛神居土何時復生

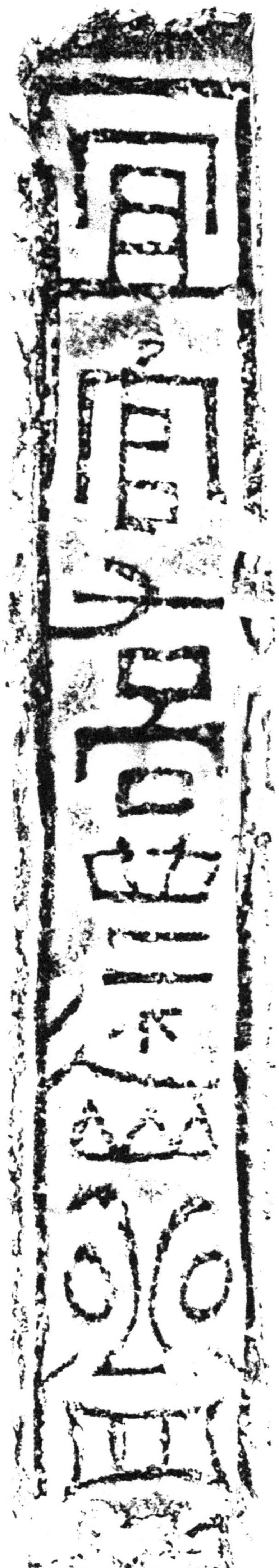

宜官喬遷磚

釋文：宜官喬遷

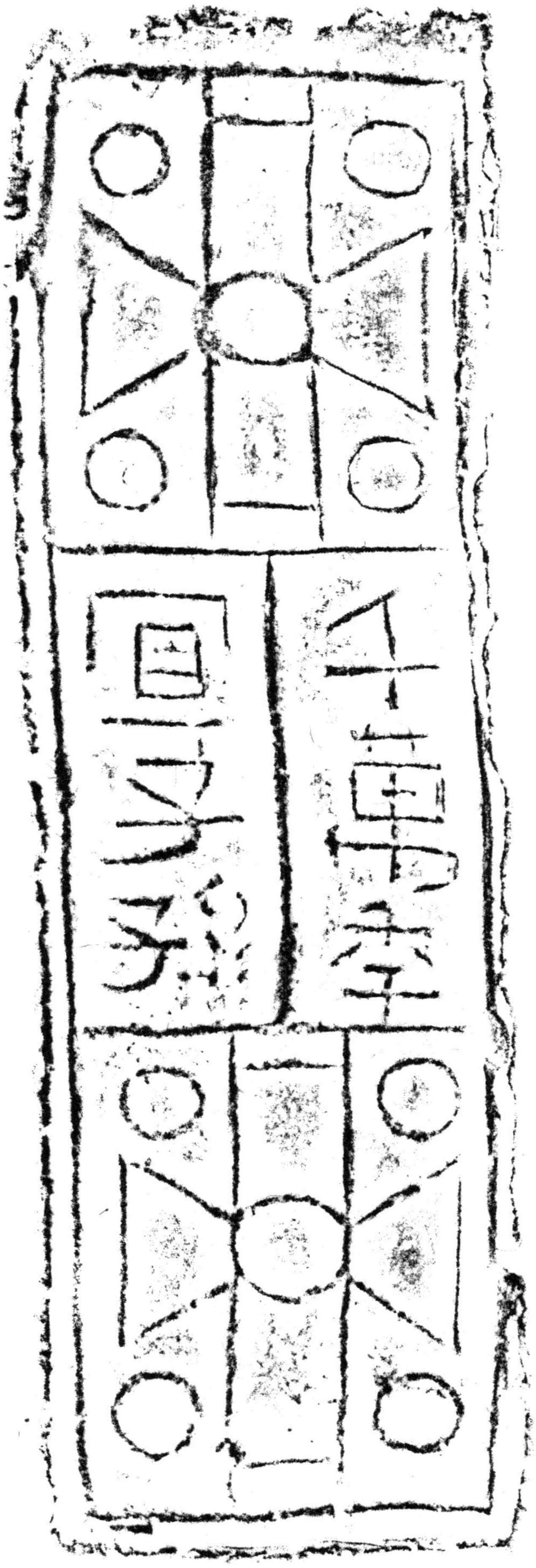

千萬年宜子孫磚

釋文：千萬年／宜子孫

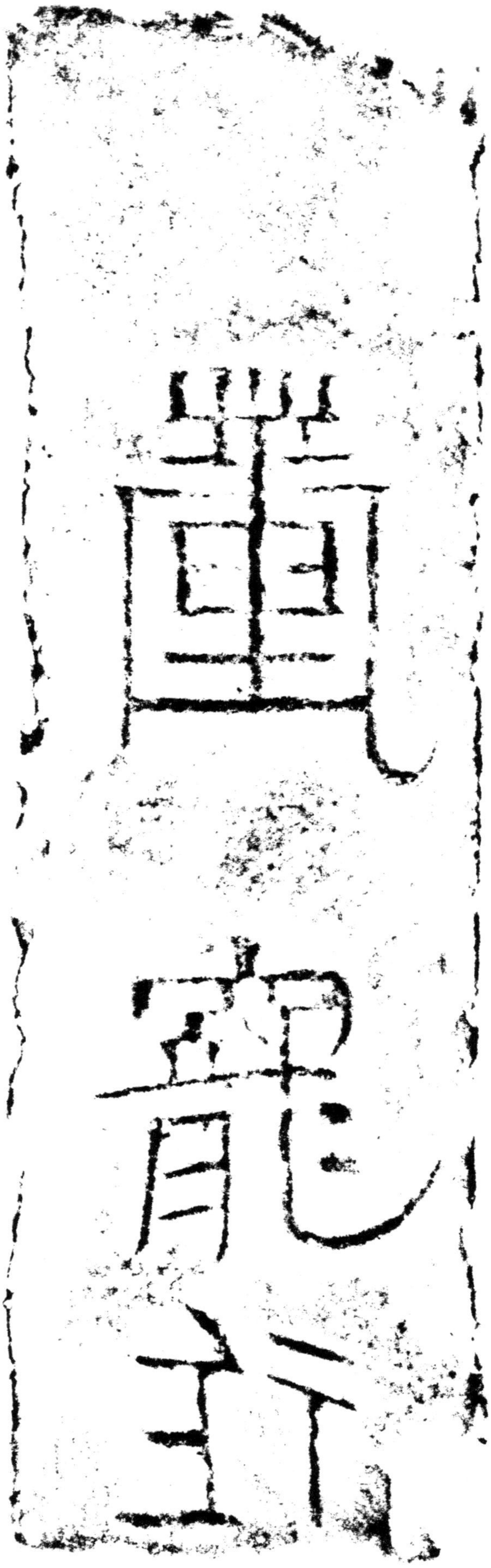

董寵作磚

釋文：董寵作

晋故樂安令等字磚
釋文：晋故樂安令鉅鹿程氏之墓

晋大中正郴令魏君之郭磚
釋文：晋大中正郴令魏君之郭

晉謝君墓磚

釋文：晉故司空東曹掾侯曹參軍河一鹽

令騎都尉都卿侯謝君之冢

十月辛巳朔廿日庚子住磚

釋文：十月辛巳朔廿日庚子住

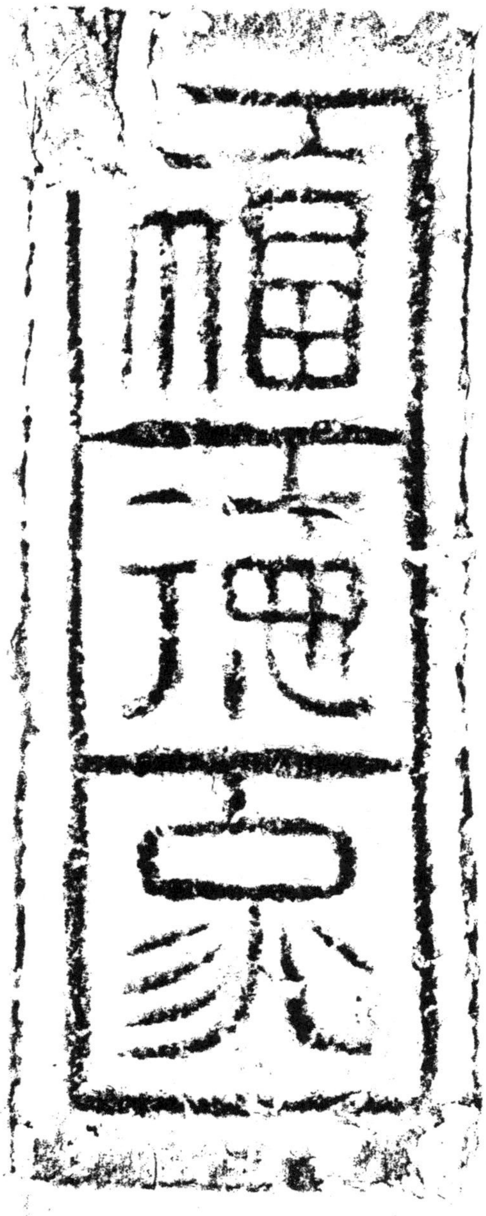

福德冢磚

釋文：福德冢

晉故先賢殘磚

釋文：晉故先賢□

張氏萬磚

釋文：張氏萬

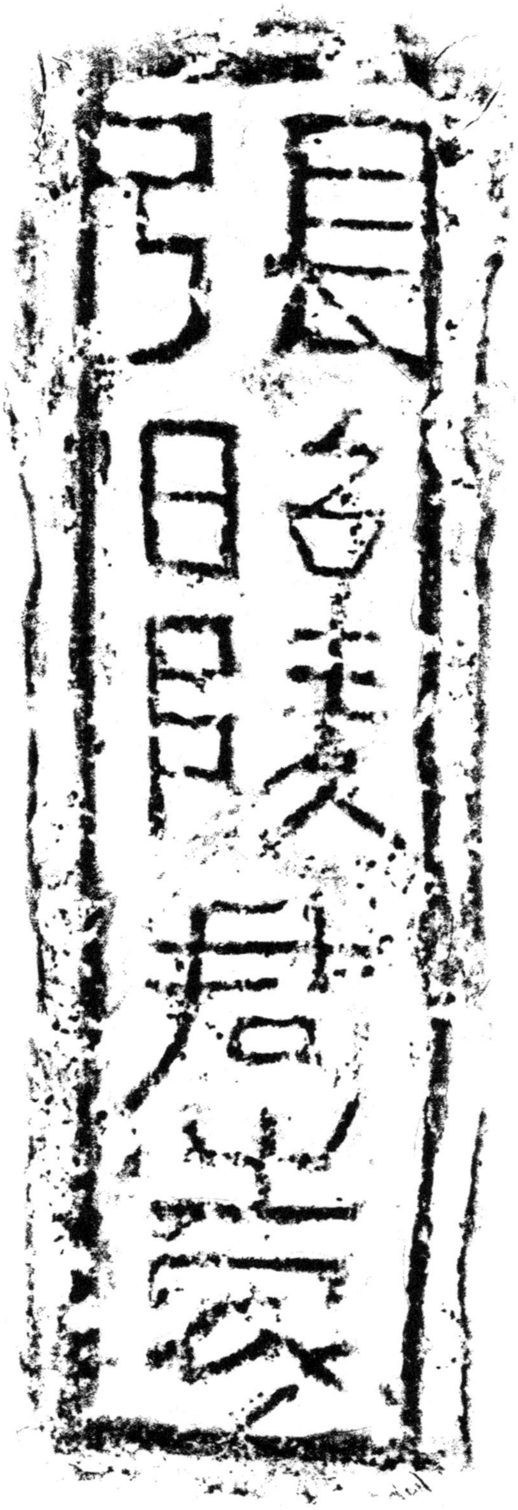

張昭陵君之冢磚

釋文：張昭陵君之冢

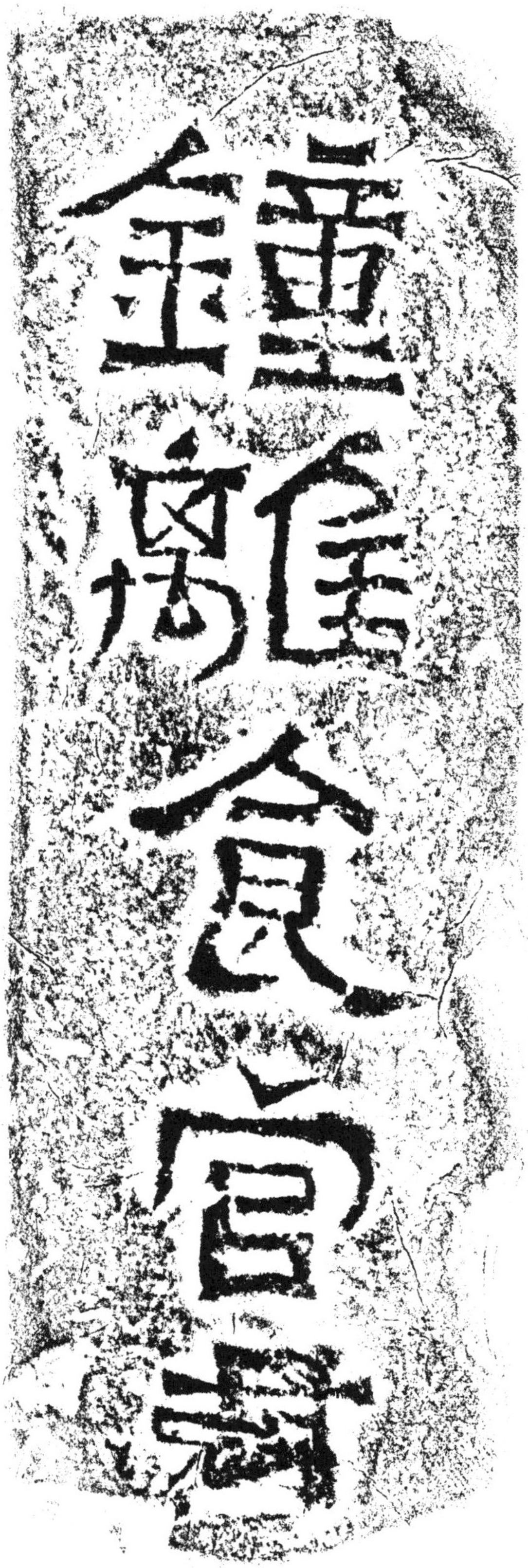

鍾離食官君磚

釋文：鍾離食官君

楊磚

釋文：楊

處士任季元冢磚
釋文：處士任季元冢

會稽上虞東鄉語□里司徒磚
釋文：會稽上虞東鄉語□里司徒

屈紹母磚

釋文：女都青鄉中里屈紹
母家槨太歲□

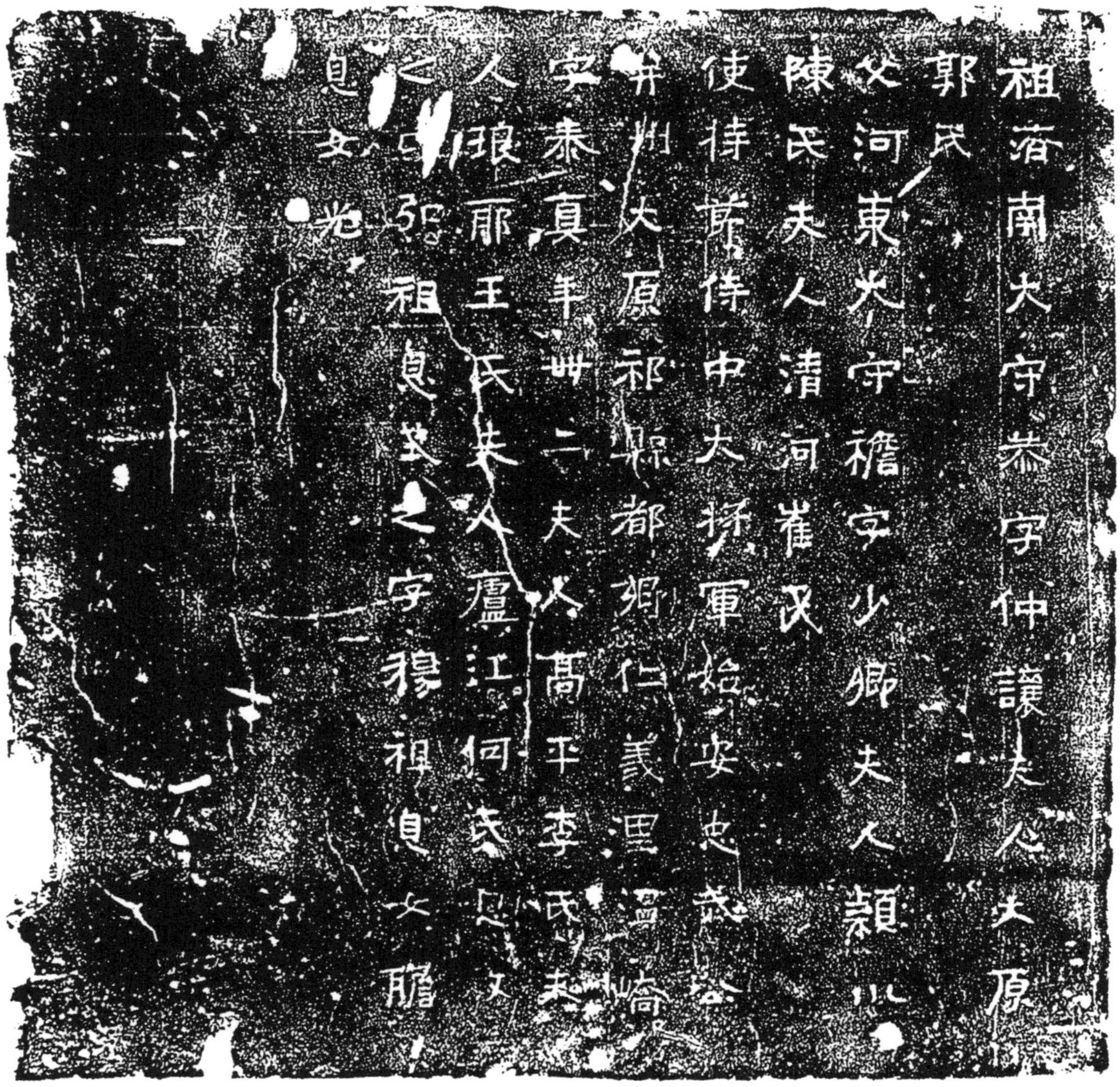

温嶠墓誌磚

釋文：祖濟南太守恭字仲讓夫人太原／郭氏／父河東太守襜字少卿夫人穎川／陳氏夫人清河崔氏／使持節侍中大將軍始安忠武公／并州太原祁縣都鄉仁義里温嶠／字泰真年卌二夫人高平李氏夫／人琅邪王氏夫人盧江何氏息放／之字弘祖息式之字穆祖息女膽／息女光

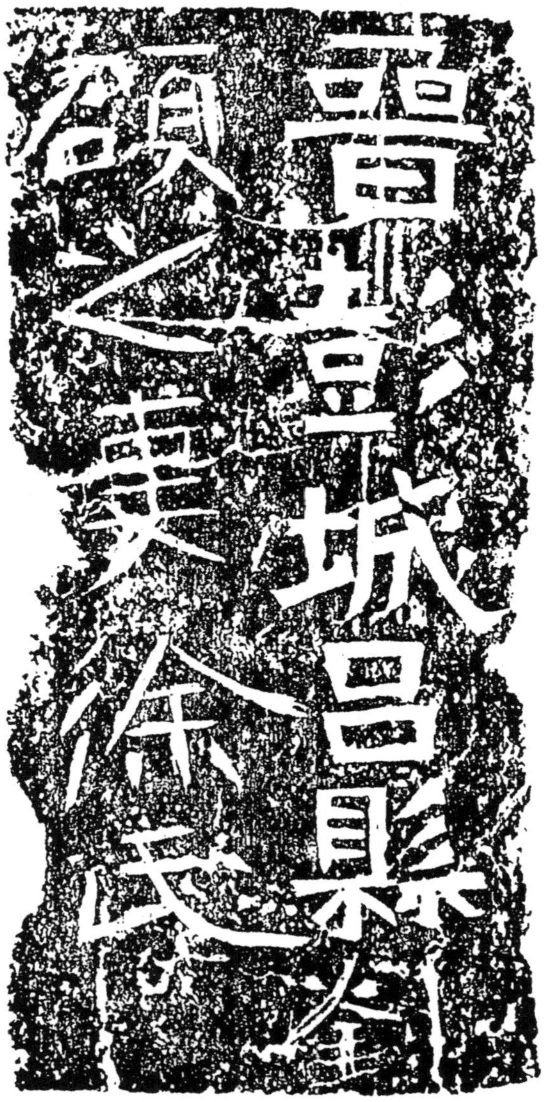

劉顗妻徐氏墓記磚

釋文：晋彭城呂縣劉／顗之妻徐氏

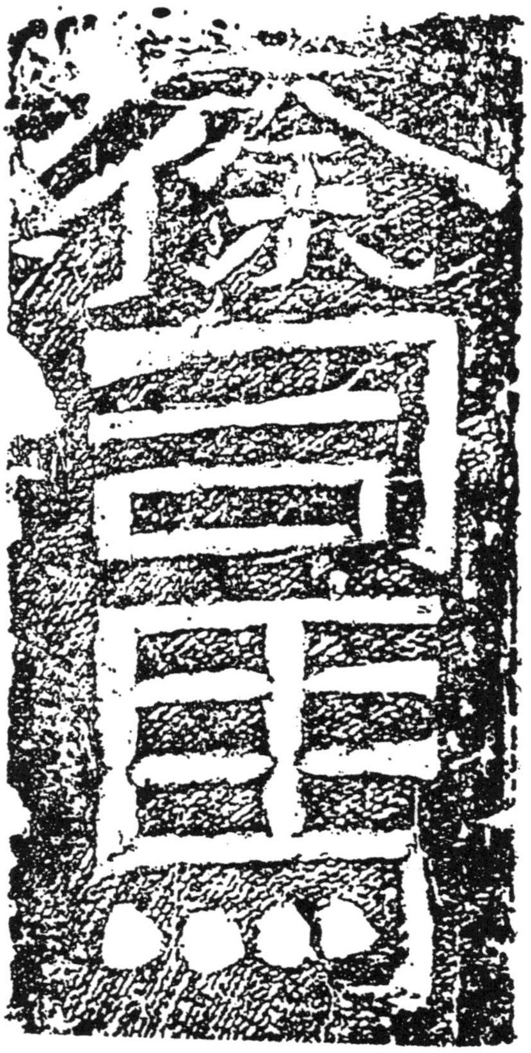

徐司馬墓記磚

釋文：徐司馬

謝氏墓記磚

釋文：臨淮謝氏

盧奴民磚
釋文：盧奴民

司馬炎墓記磚

釋文：司馬炎

樂生柩銘磚

釋文：陽平樂一生之柩

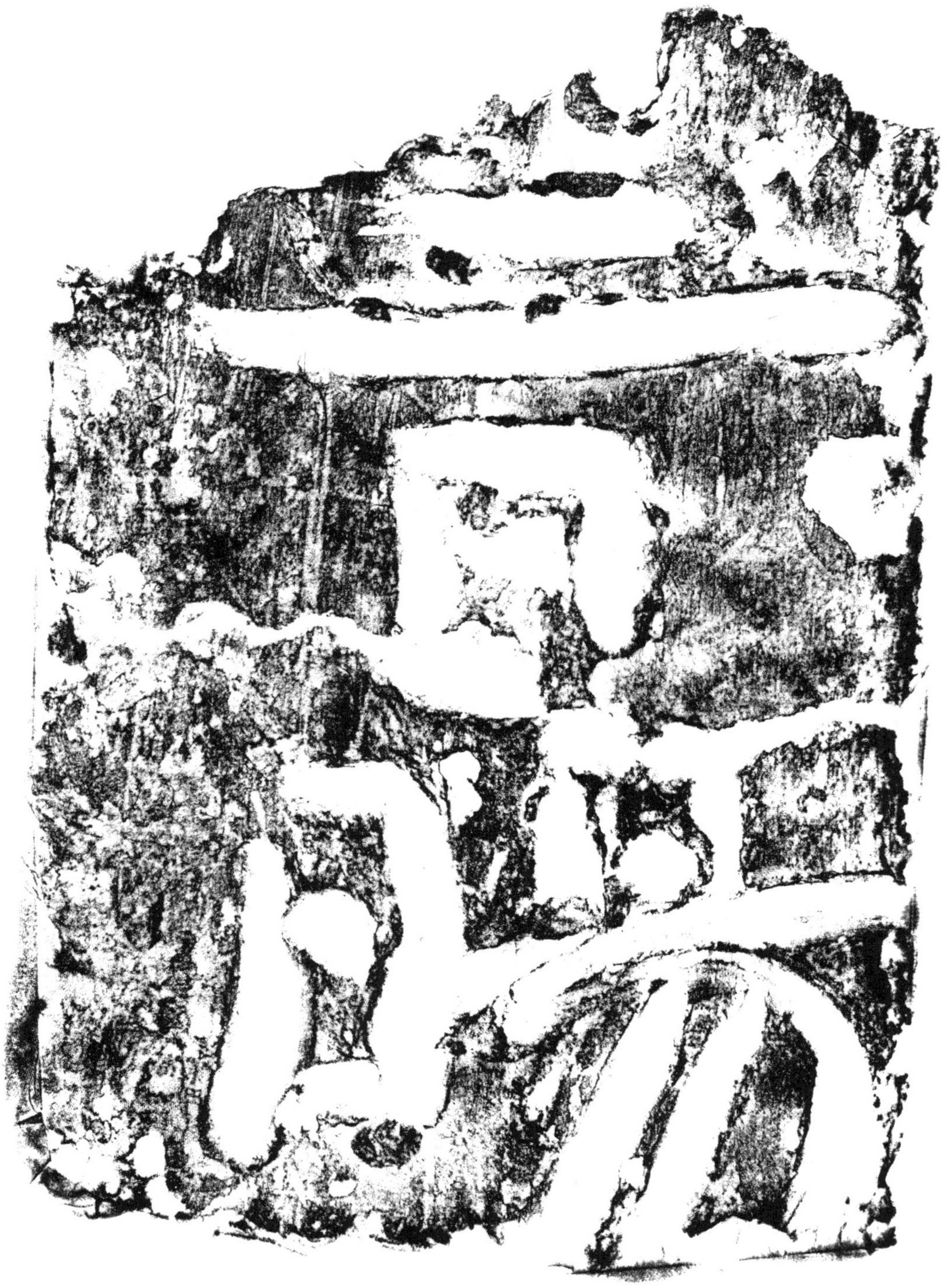

二日暘磚
釋文：二日暘

大將軍磚

釋文：大將軍

孫榮墓記磚

釋文：河內孫榮

李續妻張氏墓記磚

釋文：河南李／續妻／張

甄壽妻解夫人墓記磚

釋文：正面：甄壽亡親

背面：解夫人墓

正面

背面

乙丑歲陳侯立功磚

釋文：乙丑歲陳侯立功

玉敷磚

釋文：玉敷塼

韋家墓磚

釋文：韋家墓

莫落公孫氏墓磚

釋文：莫落公孫氏墓

圖書在版編目（CIP）數據

兩晋至宋元磚銘書法．三 / 上海書畫出版社編；黎旭，王立翔主編．－－上海：上海書畫出版社，2022.10

（磚銘書法大系）

ISBN 978-7-5479-2896-7

Ⅰ．①兩… Ⅱ．①上… ②黎… ③王… Ⅲ．①漢字－法書－作品集－中國－古代 Ⅳ．①J292.21

中國版本圖書館CIP資料核字(2022)第177041號

磚銘書法大系

兩晋至宋元磚銘書法（三）

上海書畫出版社 編

黎旭 王立翔 主編

責任編輯 張恒煙 馮彦芹

審　　讀 陳家紅

封面設計 王 峥

技術編輯 顧 傑

出版發行 上海世紀出版集團

上海書畫出版社

地址 上海市閔行區號景路159弄A座4樓

郵政編碼 201101

網址 www.shshuhua.com

E-mail shcpph@163.com

製版 上海久段文化發展有限公司

印刷 上海盛隆印務有限公司

經銷 各地新華書店

開本 889×1194mm 1/12

印張 8

版次 2022年10月第1版

2022年10月第1次印刷

書號 ISBN 978-7-5479-2896-7

定價 65.00圓